頭木弘樹
品川亮
選・文

文学の名言

366日

三才ブックス

はじめに

『文学の名言』とは、「文学作品の中の名言」ということで、それを集めたのがこの本です。

では、文学の名言は、他の名言と、どこがちがうのでしょうか？

世の中には、言葉にしやすいことと、しにくいことがあります。

たとえば、料理のレシピを言葉で書くのは簡単です。しかし、そのおいしさを言葉で表現するのは簡単ではありません。

味、匂い、美しさ、誰かを好きな気持ち……じつは世の中には、言葉にしにくいことがたくさんあります。というより、むしろそのほうが多いかもしれません。

悩んでいるときなど、「気持ちを吐き出したらすっきりするよ」と言ったりしますが、吐き出そうにも、うまく言葉にできないことも多いと思います。

もめているときにも、「ちゃんとお互いの気持ちを話し合ったほうがいいよ」と言ったりしますが、気持ちをちゃんと言葉にするというのは、難題です。

思ったり感じたりしていることはあるのだけど、なんだかもやもやしてうまく言葉にできない。そういうもやもやを抱えて、みんな生きているのではないでしょうか？

その「言葉にできないもやもや」を、なんとか言葉にしようとするのが、文学です。

「言葉に対する不信と絶望を前提にしなければ、作品に自己の全存在を賭けるなどという無謀な決意も、生まれてくるわけがないのである」と安部公房は言っています（『安部公房全集20』新潮社）。言葉にできないことがあるのを承知の上で、それでもなんとか言葉で表現しようとすることこそ、文学の本質であり、作家の挑戦でしょう。

ですから、文学は、ときにわかりにくいことがあります。もともと無謀なことに挑戦しているためです。でも、文学で描かれている「言葉にできない思い」が、自分の内にもあったときには、「ああっ、私がうまく言葉にできないでいた、もやもやした気持ちは、まさにこれだ！」と感動することもあります。

この感動をいちど知ってしまうと、文学を読むのをやめられなくなります。

この本では、そういう感動を体験できるかもしれない言葉を集めたつもりです。

なお、こういう本は普通、明るい前向きな言葉を集めます。

しかし、今回はそういうことはしていません。明るい言葉もあれば、暗い言葉もあります。むしろ、暗い言葉のほうが多いかもしれません。

なぜそうしたかというと、明るい名言の本なら、すでにいくらでもあるからです。

そして、「けっして言葉にできない思い」というのは、それが暗い思いであるときのほうが、言葉にできないことがよりつらいからです。嬉しくて仕方ない気持ちをうまく言葉にできなくても、それほどつらくはないでしょう。しかし、落ち込んで死にたくなるような気持ちを、うまく言葉にできないときは、とてもつらいです。

そして、その気持ちを誰にもわかってもらえないことで、孤独になってしまいます。

私自身も、「自分のこの気持ちは誰にもわかってもらえない」と、とても孤独だったことがあり、その気持ちが文学で描かれていたとき、すごく救われました。

この本によって、同じような体験をする方がおられたら、とても嬉しいことです。

品川亮さんと二人で、半分ずつ言葉を選びました。品川さんは、埋もれていた私を見出してくれた編集者であり、私が理想とする翻訳をしてくださる翻訳家でもあり、『３６６日 映画の名言』などの本の著者でもあります。長くお世話になっているのですが、共著は今回が初めてです。私事ですが、そのこともとても嬉しく思っています。

この本の中で、生涯忘れられないほどの言葉との出会いが、皆様にあることを願っています。

頭木弘樹

1月

1/1

ぼくらが読んでいる本が、
頭をガツンと一撃して、
ぼくらを目覚めさせて
くれないなら、
いったい何のために、
ぼくらは本を読むのか？

フランツ・カフカ

『カフカはなぜ自殺しなかったのか』

頭木弘樹／春秋社

カフカが20歳のときに友人のオスカー・ポラックに送った手紙の一節。本を読む理由はいろいろあります。暇つぶしのため、娯楽のため、教養を身につけるため、現実逃避のため……。あるいは、笑いたいから、泣きたいから、共感したいから……。しかしカフカは、「頭をガツンと一撃」が大切だと言います。たしかに、1冊の本、その中の1つの言葉だけで、大きな衝撃を受けて、心が揺さぶられ、人生が変わってしまうことがあります。本書ではそういう言葉をご紹介していきたいと思います。　(K)

1/2

悟りなば
坊主になるな魚《さかな》食え、
地獄に堕《お》ちて
鬼に負けるな

五代目柳家小さん

「万金丹」／『古典落語　小さん集』
ちくま文庫

普通は「よくないことをすると地獄に堕ちるよ」といましめます。それを逆に、なんでもしろと。そして、「地獄に堕ちて鬼に負けるな」と。たしかに、地獄に堕ちても、鬼に負けなきゃいいわけです。ものすごい力強さで、こんな考え方もあるのかと目からウロコでした。これはもとは、一休さんと仲の良かった蜷川新右衛門《にながわしんえもん》というお坊さんの歌だったようです。一休さんというのは、あのトンチ話とかで有名な一休さんです。今日は落語家で初めて人間国宝となった五代目柳家小さんの誕生日。　(K)

どのような代に
生まれるかは、
決められないことじゃ。
わしらが決めるべきことは、
与えられた時代に
どう対処するかにある。

J・R・R・トールキン

『新版 指輪物語１旅の仲間』上１

瀬田貞二、田中明子訳／評論社

冥王サウロンが力を盛り返し、ホビットのフロドが指輪を譲り受けます。指輪がサウロンの手に戻れば、世界は再び暗闇に閉ざされる。そのことを魔法使いガンダルフに知らされたフロドは、思わずそういう時代に生まれた不運を嘆きます。それに対するガンダルフの言葉がこれ。ここからフロドの旅がはじまります。巡り合わせに憤慨することで活力を得られることもあるでしょうが、基本的にはこういう姿勢でいる方が楽しく生きられそうではあります。トールキンの誕生日に。

（S）

1/4

重要なのは病から癒《い》えることではなく、病みつつ生きることだ。

カミュ

『シーシュポスの神話』

清水徹訳／新潮文庫

今日はカミュの命日。『異邦人』や『ペスト』などを書いた作家です。カミュは若い頃、サッカーが好きで、プロを目指せるほどの活躍をしていました。ところが、結核になり、サッカー選手の夢はついえ、病気で生涯苦しむことに。死への恐怖から、死刑台にのぼる悪夢を何度も見たそう。病みつつ生きるしかなかったのです。だからこそ『ペスト』を書けたのでしょう。人は、病気に限らず、解決しない問題を抱えて生きているのではないでしょうか？　そういう方にカミュはおすすめです。（K）

1/5

ぼくらは
特別な存在じゃない。
かといってくずでも
ごみでもない。
ぼくらはぼくらだ。
ぼくらはただのぼくらで、
起きる出来事は
ただの出来事だ。

チャック・パラニューク

『ファイト・クラブ』
池田真紀子訳／ハヤカワ文庫

取り立てて困ることのない生活をしていても、生きているというたしかな感覚だけがない。かけがえのある人間などいないことはわかっているけれど、自分だけは特別な存在として輝くはずではなかったのか。そんな深い失望を抱えていることにふと気づきます。ある年齢になると、だれもが経験することです。そこから主人公の彷徨がはじまり、その果てでこの当たり前な認識に到達します。ここから出発していれば今頃どこまで行けたのかとも考えてしまいますが、読者である我々にはそれができるわけです。年の明けたこの時期に改めて。（S）

1/6

戦いに巧みな人が
勝ったばあいには、
〔人目をひくような勝利はなく、〕
智謀すぐれた
名誉もなければ、
武勇すぐれた
手がらもない。

孫子

『新訂 孫子』
金谷治訳註／岩波文庫

紀元前5世紀頃に成立したとされる兵法書つまり戦争の指南書です。ところがパラパラとページを繰ってみると、意外にもその基本姿勢は、戦争はできる限り避けるべき、そもそも“戦わずして勝つ”のが最善である、敵を追いつめ過ぎてはならない、というものです。たしかに、戦いの後のことを考えれば、それこそが最も現実主義的な戦い方であることはわかります。その考え方の延長線上で、誰にも気づかれないうちに勝っているのが最高の勝ち方、というのがこの言葉。新しい年の“戦い方”を考えるために。　(S)

1／7

かなしいかな。
もっとも軽蔑すべき人間の
時代が来るだろう。
もはや自分自身を軽蔑する
ことのできない人間の
時代が来るだろう。

ニーチェ

『ツァラトゥストラ』
手塚富雄訳／中公文庫プレミアム

ありのままの自分を肯定することは大切です。でも、日本は最高、自分の県は最高、自分の家庭は最高、自分は最高と、すべて全肯定では、やはり道を踏み外します。よくないところを冷静かつ客観的に批判することは必要ですし、自己反省力がなければ、今より少しでもましな人間になることはできないでしょう。山田太一はこの言葉をもとに、『早春スケッチブック』という、「おまえたちは骨の髄までありきたりだ！」と視聴者を罵倒するテレビドラマを書きました。今日はその初放送の日。（K）

1/8

私の耳は
貝のから
海の響《ひびき》を
なつかしむ

ジャン・コクトー

『堀口大學詩集 幸福のパン種』

堀口大學訳、堀口すみれ子編／かまくら春秋社

とても有名な詩です。耳の形から貝殻がイメージされ、貝殻から海が連想され、海から波の響きが連想され、それを聴く耳へと戻っていきます。イメージの連環が見事です。ジャン・コクトーのもとの詩がいいのももちろんですが、この詩がこれほど有名なのは、なんといっても名翻訳家で詩人・歌人の堀口大學の訳が素晴らしいからでしょう。堀口大學は自分でもこういう詩を書いています。「三半規管よ／耳の奥に住む巻貝よ／母のいまはのその声を返へせ」。今日は堀口大學の誕生日。（K）

クロベイは拾われて助かった
クロベイは命を掛けて
可愛くないた
確かにクロベイはあの時
命を掛けてないていた

東君平

『心のボタン』
サンリオ

「猫の黒塀」という詩の一節です。普通、「こびる」というのは、あまりよくないこととされています。でも、こびるしかない場合もあります。さらに、命をかけてこびる場合もあるわけです。子どもの頃に親戚の家で世話になって苦労した東君平だからこそ、捨てられた猫のそういう気持ちがわかったのでしょう。私のような病人も、人の世話にならずには生きていけないところがありますから、この詩は本当にしみます。「男猫クロベイ／生きている育っている／今　私の家で」。今日は東君平の誕生日。　(K)

1/10

道路は〔どこを通ってもよさそうであるが〕
通ってはならない道路もある。
敵軍は〔どれを撃ってもよさそうであるが〕
撃ってはならない敵軍もある。
城は〔どれを攻めてもよさそうであるが〕
攻めてはならない城もある。
土地は〔どこを奪取してもよさそうであるが〕
争奪してはならない土地もある。
君命は〔どれを受けてもよさそうであるが〕
受けてはならない君命もある。

孫子

『新訂 孫子』

金谷治訳註／岩波文庫

『孫子』からもう1つ。何が何でも勝てばいいということではない、もしくは勝ち方にも道筋がある、ということでしょうか。これを日常の仕事に当てはめてみると、たとえば売上を伸ばすためには何でもして良いというわけではないというふうにも読めます。また、組織に所属している場合は特に、最後の“受けてはならない君命もある”が重要に響きます。この言葉が頭の中にあるだけで、上司や雇い主の命令から距離を保ちつつ、自ら思考する回路を失わないでいられるのではないでしょうか。 (S)

1/11

人間が社交的になるのは、
孤独に耐えられず、
孤独のなかで自分自身に
耐えられないからである。

ショーペンハウアー

『幸福について―人生論―』

橋本文夫訳／新潮文庫

「孤独のなかで自分自身に耐えられない」のはなぜかというと、「内面の空虚と倦怠」のためとのこと。「そういう人の精神には、独自な運動をみずから摑むだけの原動力が不足している。だから酒を飲んでその原動力を高めようとする」のだそうです。それをしてはいけないと言っています。「孤独は幸福と平静な気もちとの源泉であるから、孤独に耐える修行をすることを、若いころの主要な研究題目の一つとすべきであろう」。もう若くなくても修行するしかないかもしれません。今日は「樽酒の日」。（K）

1/12

この世のもっとも偉大なる人々は、
無名のまま消えていった。
われわれのしっている
仏陀やキリストのごとき聖人も、
世人が何も知らぬ
それらの偉大なる人々にくらべるなら、
二流の英雄に過ぎない。

ヴィヴェカナンダ

『ヘンリー・ミラー全集〈第9〉冷房装置の悪夢』

ヘンリー・ミラー、大久保康雄訳／新潮社

人の一生は「何をしたか」で判断されがちです。しかし「何をしなかったか」も重要ではないでしょうか？　野心を持たず、欲に溺れず、身近な人たちを大切にし、黙々と静かに生きる。そうした生き方が素晴らしいと主張することさえない。「しなかったこと」でも人を評価したいものです。なお、ロマン・ロランの言葉として広く知られていますが、間違いです。ヴィヴェカナンダはインドの思想家で、1863年1月12日の生まれ。ヘンリー・ミラーの本にこの言葉が引用されています。

（K）

1/13

なんとなく好きで、
その時は好きだとも
言わなかった人のほうが、
いつまでもなつかしいのね。
忘れないのね。

川端康成

『雪国』

新潮文庫

最近はドラマでもマンガでも、好きな人がいたら、たとえふられるとわかっていても、告白をして、やっぱりふられても、「ちゃんと自分の気持ちを伝えられてよかった」と笑顔で涙するのが感動的という流れになっています。ちゃんと自分の気持ちを伝えないと後悔するという人も。それもそうかもしれません。でも、この川端の言葉もまた真実では。あなたの心に今、残っている人は、告白した相手、それともしなかった相手？ 後悔のせつなさもまた思い出をより美しくするのではないでしょうか。雪国に雪の降る季節に。 (K)

1/14

生み出された以上、どんなに惨烈《さんれつ》な戦闘であれ……いかに選ぶか、いかに戦うか、その手際《てぎわ》だけが、私達の人生というものである筈《はず》だ。

檀一雄

『火宅の人』上
新潮文庫

妻子ありながら愛人をもうけ、国内外の放浪をやめなかった作家による“自伝的小説”です。周囲の人々のことを考えれば、嫌悪されるべき生き方でしょう。しかし当人ももちろんそれはわかっていて、また、わかっていれば許されるとも考えていません。ただそのようにしか生きられないが故に全力でそう生きる、ということなのです。人生とどのように向き合うのか、ということについて責任を取れる相手は自分自身以外にいないということでもあります。年明けから日の浅いこの時期に、少し腹を据えておくために。　(S)

1/15

私がさびしいときに、
よその人は知らないの。
私がさびしいときに、
お友だちは笑うの。

金子みすゞ

「さびしいとき」／『金子みすゞ全集』
JULA出版局

どこかで食べる物がなくて困っている人がいるとき、別のどこかでは食べ物を捨てている人がいるかもしれません。どこかで災害が起きて苦しんでいる人がいるとき、別のどこかでは宴会をやって大笑いしているかもしれません。それはもう仕方のないことです。しかし、悲しんでいる側としては、やはりつらいことでもあります。不幸は人に、自分が孤独であることを気づかせます。今日は、金子みすゞの童謡を雑誌に載せ、「若き童謡詩人の中の巨星」と賞賛した詩人・西條八十の誕生日。（K）

1/16

倫敦ノ焼芋ノ味ハドンナカ聞キタイ。

正岡子規

『漱石・子規往復書簡集』

岩波文庫

正岡子規が夏目漱石に送った最後の手紙です。亡くなる前年です。夏目漱石は当時、イギリスに留学していました。2人は高等中学校の同級生として出会い、その友情は子規が35歳で亡くなるまで変わることなく続きました。この手紙の中で子規は「僕ハモーダメニナッテシマッタ、毎日訳モナク号泣シテ居ルヨウナ次第ダ」と書いています。病苦のために自殺も考えた後でした。それなのに、このようなユーモラスなことも書くのが子規ならではです。さつまいものおいしい時期は10～1月頃。（K）

1／17

手軽なことだ、
災難を身に受けない者が、
ひどい目にあってる者らに、
あれこれと忠告するのは。

アイスキュロス

『縛られたプロメーテウス』
呉茂一訳／岩波文庫

「きちんと話し合って、それでダメだったら、離婚したほうがいいよ」「辞めて、別の仕事をさがしたほうがいいよ」「ちゃんと学校に行かないと」「愚痴を言っていてもはじまらない。もっといろいろ工夫して努力しないと」。当事者ではない人たちの忠告は、いつももっともで、理路整然としていて、反論が難しいものです。しかし、まるで役に立ちません。事故にあって倒れている人に、「ちゃんと治療したほうがいいよ」とだけ言って立ち去って行く人のようです。1月17日は阪神・淡路大震災の日。（K）

「プー、きみ、朝おきたときね、
まず第一に、どんなこと、かんがえる?」
「けさのごはんは、なににしよ?
ってことだな。」

A・A・ミルン

『クマのプーさん』

E・H・シェパード絵/石井桃子訳/岩波書店

ご存知クマのプーさんと、その親友のコブタ(ピグレット)が、夕陽に向かって歩きながら交わす会話です。この後プーさんは、コブタの方はどんなことを考えるのかと尋ねます。そして、「きょうは、どんなすばらしいことがあるかな、ってことだよ」という答えを聞くと、プーは考え深げにうなずき、「つまり、おんなじことだね」と言うのです。それを読む私たちもまた、ご飯にはじまる明日のことを考えて、じんわりと楽しい気持ちになります。ミルンの誕生日に。 (S)

1/19

あまりに苛烈な不幸に
落ちこんだ人間は
憐憫の対象にさえならず、
嫌悪、恐怖、軽蔑を
引き起こす。

シモーヌ・ヴェイユ

『重力と恩寵』

冨原眞弓訳／岩波文庫

不幸な人がいれば、かわいそうと思って手を貸そうとするやさしさが人間にはあります。しかし、その不幸があまりにもひどい場合、同情よりも、恐怖を感じてしまいます。人間にこれほどの不幸があるのかと。とても助けられそうにありませんし、恐怖心のせいで、かえって遠ざけたくなり、当人のせいだなどと、軽蔑したり嫌悪したりすることで、なんとか自分にはそんなことが起きないと思い込もうとします。今日はシモーヌ・ヴェイユの遺稿を編纂し出版したギュスターヴ・ティボンの命日。（K）

1/20

人生には笑ってよいことがまことに多い。

柳田國男

「笑の本願」／『柳田國男全集』9

ちくま文庫

“俳諧”とはもともと笑いの文学なのであって、“笑ってこの人生を眺めよう”とするものだった、という内容のエッセイの最後の方に登場する言葉です。たとえば、“仕事でエライ目に遭った”話をする時、それが優秀な人たちであればあるほど、話す方も聞く方も笑い混じりになる印象があります。そもそも真剣さと笑いは反比例しないはず。この本の文脈からはだいぶ脱線しますが、そんなことを改めて考えさせられる言葉で、これ自体にどこかプッと吹き出させるところがあるような。笑いを忘れそうな真冬に。　(S)

1/21

中の雪
さみしかろな。
空も地面《じべた》も
みえないで。

金子みすゞ

「積った雪」／『金子みすゞ名詩集』
彩図社

「上の雪／さむかろな。／つめたい月がさしていて。／下の雪／重かろな。／何百人ものせていて」に続くのがこれです。普通、積もった雪をながめているときには、きれいだなあくらいしか思わないのでは。金子みすゞはそこにかなしみを見ます。そして、普通は「雪」というふうにひとつにとらえるところを、「上の雪」「下の雪」「中の雪」と３つに分けてとらえています。特に「中の雪」というとらえ方、そのさみしさを感じとるというのは独特の感性だと思います。雪の季節に。（K）

1/22

見ることには愛があるが、
見られることには憎悪がある。
見られる傷みに耐えようとして、
人は歯をむくのだ。
しかし誰もが見るだけの人間に
なるわけにはいかない。
見られた者が見返せば、
こんどは見ていた者が、
見られる側にまわってしまうのだ。

安部公房

『箱男』
新潮文庫

興味のあるものを人はじっと見つめます。でも、人からじっと見つめられることは、恋人どうしでもない限り、つらいことです。人から自分がじろじろ見られているのではないかと不安になる「注察妄想」という妄想があるほどです。目力という言葉がありますが、目、視線というのは、相手を圧する力を持っています。「にらまれて、小さくなった」という言い回しもあります。ほめるときには相手を見たほうがいいけれど、叱るときには見ないほうがいいとも言われます。今日は安部公房の命日。（K）

1/23

何しろ、あらゆる立派な理屈は侮辱になるのである。

スタンダール

『赤と黒』上

野崎歓訳／光文社古典新訳文庫

貧しい家庭に生まれたジュリヤンは、卓越した記憶力と美貌によって上流階級に食い込んで行きます。その過程で神学校に入りますが、これが彼には暗黒の日々となりました。へりくだっても疎まれ、きちんと考えを述べれば怒りを買います。それはおおむね“身分差”によって引き起こされた事態だったわけですが、私たちの日常でも“立派な理屈”を“侮辱”と受けとめられることはままあります。そういう時にこの言葉を思い出せば用心できますし、気が楽にもなります。スタンダールの誕生日に。　(S)

1/24

おくびょうな
私を一羽
飼っているから
大声は
出さないように

笹井宏之

『てんとろり 笹井宏之第二歌集』
書肆侃侃房

短歌です。笹井宏之は、15歳の頃から難病で寝たきりで、日常生活もままならなかったそうです。高校を中退し、短歌を詠み、投稿します。さまざまな人たちから絶賛され、将来を嘱望されますが、26歳という若さで亡くなってしまいました。病気というのは、身体だけでなく、心まで縛り付けるようなところがありますから、そういう中で、こういう透明感のある、イメージが軽やかに高くて遠いところまでジャンプするような短歌が書けるというのは本当にすごいことだと思います。今日はその命日。　（K）

1/25

「おのれが強いのだか、
弱いのだか、
わからなくなってくる。
そのときに、
おのれの剣術も
ようやく本物になるのだ」

池波正太郎

「二人女房」／『鬼平犯科帳』12
文春文庫

鬼平こと長谷川平蔵が、自身の体験から漏らした言葉です。これを読んで思い出したのは、あるベテランのグラフィック・デザイナーの話でした。日本語のレイアウトでは、字間の調整に際限なく拘ってしまうものだけど、そのうち、初期設定が良いと思える瞬間がやって来ると言うのです。こうなると、字間だけを見れば達人も初心者も変わりません。しかしそれ以外のすべての判断要素にも同じ深淵が口を開いているはずで、達人とは怖ろしい境地だと感じました。池波正太郎の誕生日に。 (S)

1/26

病気のもたらす
精神的変化が
いかに大きいか、
健康の光の衰《おとろ》えとともに
姿をあらわす
未発見の国々が
いかに驚くばかりか

ヴァージニア・ウルフ

『病むことについて』
川本静子編訳／みすず書房

1926年1月に発表されたエッセイの一節です。ヴァージニア・ウルフは、生涯を通じて精神的、身体的不調に苦しめられ続けた人でした。たとえば、足をケガして歩きにくくなると、通い慣れた道がじつは、いかに傾いたり、でこぼこしたりしているかに気づかされます。そのように、病気をすることで、世の中のさまざまなことに敏感になり、頭の中の世の中の地図は、全面的に描き直されることになります。「姿をあらわす未発見の国々がいかに驚くばかりか」というのは、そういう意味でしょう。

(K)

1/27

幸福でも不幸でもありませんでした。
ぼくはそのことを
神に感謝しています。（中略）
幸福というものは、
想像の中にだけあるのですから。

モーツァルト

「父への手紙」／『モーツァルトの手紙』上
柴田治三郎訳／岩波文庫

今日はモーツァルトの誕生日。幼い頃は神童として大喝采を浴びましたが、大人になった神童に世間は冷ややかでした。二十歳のとき、父親に宛てて書いた手紙の一節です。自分は不幸だとか幸福だとか言う人はいますが、「幸福でも不幸でもありません」という人は珍しいですね。そして「幸福というものは、想像の中にだけあるのですから」とは、なんとも深い絶望です。翌年の親友への手紙でも、「幸福に生きることは、魔法でも使わない限りは、ぼくにはできない」と書いています。 （K）

1/28

遺書があつた
遺書にはかう書いてあつた
もうこれ以上は
悪いことをしなければ
生きてゆかれません

高橋元吉

「十五の少年」／『草裡 高橋元吉詩集』
煥乎堂

これは詩の最後のところです。その前はこうです。「十五の少年／東京で靴磨きをしてゐた／うまくゆかないのであらう／職を求めて大阪へ行つた／大阪にも職はなかつた／東京へ戻るため汽車に乗つた／その汽車の中で少年は服毒した／苦しみだしたので助けられた」。高橋元吉は戦中、戦後を生き、昭和40年1月28日に亡くなった詩人。中学卒業後、父親の経営する煥乎堂書店に勤務しながら詩を書きました。高村光太郎賞を受賞。今の時代、あらためてその詩が多くの人の心に響いています。　（K）

1/29

人間は食べて、
ヒって、
寝れば
いいのです。

深沢七郎

『人間滅亡的人生案内』

河出書房新社

「ヒって」というのは「排泄して」という意味。食べて、出して、眠る。人間の基本です。これさえできればいいのだと。とても大らかな言葉にも聞こえます。しかし実際には、これらもなかなか難しいことです。胃腸が弱い人もたくさんいますし、排泄に問題のある人もいます。不眠症の人なんて、たくさんいます。食べて出して眠ることができれば、むしろ、たいへん幸福な人と言えるでしょう。あなたがそのひとりなら、ぜひその幸福を噛みしめてください。今日は深沢七郎の誕生日。

(K)

1/30

人はパンのみにて
生くものにあらず、
されどまたパンなくして
人は生くものにあらず。

河上肇

『貧乏物語』
新日本出版社

前半の「人はパンのみにて生くものにあらず」は、『旧約聖書』の「申命記第八章」にあるモーゼの言葉で、また『新約聖書』「マタイ伝第四章」にあるイエスの言葉。後半は河上肇が付け足したもの。河上肇は明治生まれの経済学者で、京都大学教授。名文家としても知られ、『貧乏物語』はベストセラーに。いかにして貧乏をなくすかに取り組み、格差社会を批判しました。『貧乏物語』は1947年から岩波文庫で出ていましたが、2008年に新日本出版社からも復刊。今日は河上肇の命日。　(K)

1/31

勘さんはこっちがおでん屋で
飲んでいるのを見て
安心が出来る相手と決めたようだった。
尤《もっと》もそれで急に陽気に振舞うのでも
馴れ馴れしくするのでもなくて
安心した分だけ寛《くつろ》いだ様子になり、
それがこっちにも伝わってウイスキーの味が
俄《にわか》に親めるものになった。

吉田健一

『東京の昔』
ちくま学芸文庫

第二次世界大戦がはじまるすこし前の東京が舞台の小説です。ここで生きている人々の姿を見つめていると、つくづく“いいなあ”と感じます。“あの時代はよかった”という話ではなく、余計なことにあくせくしている人物が1人も出てこないということです。勘さんというのは自転車屋で、語り手は作家自身と限りなく重なる真の教養人。そんな2人がただ向かい合って、おでん屋でくつろいでいるわけです。こういう時間を過ごすために生きているのではないだろうかとすら思ってしまいます。おでんのおいしい季節に。 (S)

2月

2/1

漂えど沈まず。

開高健

『花終る闇』

新潮社

開高作品の各所に登場するおなじみの言葉。この未完の遺作では、語り手がどうしても書きはじめられない小説の題として、1行目に登場します。パリ市の紋章に刻まれているラテン語の標語として知られ、出典は中世に書かれた詩なのだそうです。そうした背景や使われ方とは無関係に、人生の来し方行く末に思いをいたす時、だれもが自分自身を重ね合わせたくなる言葉ではないでしょうか。いろいろあっても沈没さえしなければ良し、ということですから。厳しい寒さにくじけそうなこの時期に。 (S)

2/2

あなたもわたしもついてるのよ。
わたしは眉をよせた。
ついてる？
生きてて健康ってことがですか？
このまっただ中に居あわせられたってこと。
これ以上の知識を、これほどの速度で
得られる機会は、ほかにはないでしょう。

エマ・ドナヒュー

『星々の引力』
Little, Brown and Company

第一次世界大戦末期、“スペインかぜ”が大流行するダブリン（アイルランド）が舞台の小説です。これは主人公の看護師ジュリアと、実在した女性医師キャスリーン・リンとの会話。ジュリアは免疫を獲得していますが、リンはそうではありません。加えて、英国からの独立を目指す運動に深く関わっている彼女は政治的にも危うい立場にあります。リンは、そうしたことすべての中に生きられることを、“ついてる”と話すわけです。困難のただ中で視点を変えることの重要さを思い出させてくれます。真冬に。　(S)

[Emma Donoghue, *The Pull of The Stars*]

2/3

信条は何の役にも立たない。
だが、欠かせないものではある。
たとえそれが、
誤った信条に
欺かれないためだけで
あったとしても。

シモーヌ・ヴェイユ

『ロンドン原稿と最後の手紙』

Gallimard

なにかを固く信じていると、そこから先の思考を停止させることになりかねず、それはそれで危険です。でもなにかを考えていくには、出発点なり基準となるものが必要です。基準そのものにも疑問の目を投げかけるような、粘り強い思考はそこからはじまります。ユダヤ系フランス人であったヴェイユは、ニューヨークを経由してロンドンに渡り、第二次世界大戦が終わるのを目にすることなく、無名のままこの世を去りました。彼女の誕生日に。 (S)

[Simone Weil, *Écrits de Londres et dernières lettres*
参考：『ロンドン論集とさいごの手紙』田辺保・杉山毅訳／勁草書房]

2/4

天才とはおそらく「暗夜」を通過する能力にほかならない。

シモーヌ・ヴェイユ

『ヴェイユの言葉』

冨原眞弓編訳／みすず書房

ヴェイユの言葉をもう1つ。なにかをはじめてみると、とうていこんなことをする能力は自分にはない、と絶望する瞬間がやって来ます。それがここでの“暗夜”です。そして、この“自分にはむりだという思いこみ”から身を守るためには、なにか1つでも専門領域を持っていて、そこでやり抜いたという経験が有効であるとも補足されています。ならば、必要なのははじめる前から挫けないことだけなのであって、単なる無謀さで物事をはじめてもいいのではないか、と一回転して力が湧いてくるようです。 (S)

25

我々は
自分の皮膚の中に
捕らわれている。

ウィトゲンシュタイン

『ウィトゲンシュタイン哲学宗教日記』

鬼界彰夫訳／講談社

1931年2月5日に書かれた1行だけの言葉。ウィトゲンシュタインの真意はわかりませんが、ヴァージニア・ウルフもこれに近いことを書いています。「一瞬たりとも、ナイフの鞘か豆のさやのように肉体を脱ぎ捨てることはできない」(『病むことについて』川本静子編訳、みすず書房)。肉体と精神はもちろん別々のものではありませんが、肉体からくる制約、痛みなどの信号、容姿のよしあし、そういうものから自由になって、魂のみで飛び回りたいという思いが、誰しもどこかにあるのではないでしょうか。　(K)

2/6

雨を感じられる
人間もいるし、
ただ濡れるだけの
奴らもいる。

ボブ・マーリー

『CATCH THE FREEDOM』

高橋歩訳／A-Works

雨を「感じる」のも「濡れる」のも同じではないかと私は思っていました。しかし、手術をしたときに、長い間、髪を洗うことができず、久しぶりに看護師さんに洗ってもらったとき、水の流れのひと筋ひと筋まですべて感じとることができました。それ以来、シャワーのたびに感動を味わえます。ただ濡れるのと、水を感じて感動するのとでは、まったくちがうことです。それに気づくまで、本当にもったいないことをしました。今日はレゲエの神様とも呼ばれるボブ・マーリーの誕生日。（K）

2/7

今日できることは決して
明日に延ばしちゃいけな
いってことですね。
遅延は時間の盗人《ぬすっと》。
盗人は
ひっ摑《つか》まえろってね。

チャールズ・ディケンズ

『デイヴィッド・コパフィールド』

石塚裕子訳／岩波文庫

貧しい生活で苦労を重ねた末に、作家として成功を収める主人公の波瀾万丈の半生が描かれます。このセリフを口にするミコーバー氏はいつも貧乏ですが不幸ではなく、どんな時にも一発逆転を狙う愛すべき人物。この忠告に耳を傾けなかったせいで自分は“どん底野郎”のままなのだから、この言葉は耳を傾けるに値するのだ、とデイヴィッドに話します。たしかに、“忙しい”と表裏一体になっている、“これが済んだら……”という後回し思考には気をつけたいものです。ディケンズの誕生日に。　(S)

2/8

たまらないほど気まずかった。
みんなは洋服を着ているのに、
自分だけは裸なのだ。
不思議なことに、洋服を脱いで
裸になったとき、彼らを前にして、
なんだか自分に罪があるような気がしてきた。
自分は彼らより劣っていて、
彼らにはこちらを軽蔑するのに
充分な資格がある、そんなふうに
自分でも思えてきてしまったのだ。

ドストエフスキー

『ミステリー・カット版　カラマーゾフの兄弟』

頭木弘樹訳／春秋社

今日は「針供養」の日。折れたりして使えなくなった針を供養します。そこで「服」にまつわる名言を。服が持つ意外な心理作用についてです。みんなが服を着ているのに、自分だけが裸だと、なんだか自分に罪があるような気がして、劣っているように思えてしまうのです。これは「恥」の意識のせいだと思われます。人は、人前で恥をかくと、従順になってしまうのだそうです。昔、新入社員に恥ずかしい宴会芸をやらせたりしたのは、あつかいやすくするためだったのです。ご注意を。

（K）

2/9

「父親殺し！」
近所中に響き渡るような大声で叫んだ。
しかし、その一声だけで、
まるで雷にでも打たれたように、
その場にどっと倒れた。

ドストエフスキー

『ミステリー・カット版　カラマーゾフの兄弟』

頭木弘樹訳／春秋社

この小説の中で弁護士がこう述べます。「ある種の父親は災難のようなものです」「『どんなに子供にひどいことをする父親でも、父親にはちがいない』という考え方もあるでしょう。しかしこれはもう、神秘主義というか、信仰の世界であり、理性ではとうてい受け入れられません。むしろ反対に、このようにずばり言おうではありませんか。子供を作っただけでは父親ではない。父たるにふさわしいことをした者が父親である」。あなたはどう思いますか？　今日はドストエフスキーの命日。（K）

2/10

だって
この世で
生きるには
人間にゃずるさが
まだ足りねえ

ベルトルト・ブレヒト

『三文オペラ』

谷川道子訳／光文社古典新訳文庫

19世紀ロンドンの下町に生きる、“盗賊と乞食と娼婦”たちの物語。社会の仕組みと、良識の欺瞞を剝きだしにしてみせるこの戯曲は、失業者が増大しナチスが台頭する1920年代末のベルリンで書かれました。「まずは食うこと 道徳はその次」「銀行設立に比べれば、銀行強盗などいかほどの罪でしょうか」など今でもドキリとさせられるセリフがたっぷり詰め込まれていますが、ここでは、ほんと、つくづくそう思うことがあるよなあ、と嘆息したくなる言葉を。作者ブレヒトの誕生日に。 (S)

2/11

私にもなにか
私を生かし
そして
いつか私を殺してしまう
気まぐれな条件が
あるような気が
したからであった。

梶井基次郎

『冬の蠅』
青空文庫

やせて弱った冬の蠅が部屋にいます。ところが、数日留守にして部屋に戻ってみると、蠅が一匹もいなくなっています。部屋を温める人間がいなかったために、寒さと飢えで死んでしまったのです。それで梶井基次郎は思うんです。自分がふと気まぐれに部屋を空けたために、冬の蠅たちは死んでしまった。自分も、なにかまったく気まぐれな条件で、生き延びたり、死んだりするんじゃないかと。普通ならうるさがって叩くだけの蠅に、これだけのことが感じられる梶井基次郎。冬の日に。（K）

2/12

孤独であるときに、

その孤独のなかに持ち込んだものは成長する。

だから内なる獣も成長する。

だから多くの者に

孤独をすすめてはならない。

ニーチェ

『ツァラトゥストラかく語りき』

佐々木中訳／河出文庫

ひとりでじっくり考えたり、ひとりでじっくり行うことで、そうでなければできないことができたりします。しかし孤独のせいで精神を病むことも。たとえば誰かへの恨みも、会い続けていれば、また仲直りする機会があったかもしれなくても、ひとりでいればどんどん高まっていってしまいがち。また、孤立すると、自分vs社会というように、社会全体が敵に思えてきてしまうこともあります。『ツァラトゥストラかく語りき』の第1部は1883年2月3日から10日間で一気に書かれました。（K）

2/13

自分の力で
味方をさがそうとしたのは、
やはりまちがっていなかった。
なんでもやってみるつもりに
ならないといけないな。

佐藤さとる

『だれも知らない小さな国』

村上勉 絵／講談社 青い鳥文庫

小さな頃に見つけた自分だけの小山。大人になり、近くの町に戻ってきた“ぼく”は、その土地を手に入れたいと考えるようになります。そんな彼の前に、“こびと”たちが姿を現します。人の目から隠れて生きてきた彼らでしたが、自分たちの暮らしを守るためには人間の味方を見つけなくてはならない、と勇気と智慧を振り絞って話しかけたのです。そしてその甲斐がありました。これはこびとのヒコ老人の言葉。自分だけの努力ではどうにもならないことはあるものです。作者の誕生日に。 (S)

2/14

汚れつちまつた悲しみに
今日も小雪の降りかかる
汚れつちまつた悲しみに
今日も風さへ吹きすぎる

中原中也

『中原中也全詩集』
角川ソフィア文庫

この有名な詩が詠まれたときの状況を壇一雄が記しています。中原中也は酒の席で太宰治にからみ、太宰は逃げ帰るのですが、中也はそれを追いかけて、寝ている太宰にさらにからみます。見かねた壇一雄が中也の腕をとり雪の道に放り投げます。中也は恨めしそうにして、車で娼家に行って、３円のところを半額に値切り、翌朝にはさらに１円に値切り、娼家を追い出され、外の道で昨夜の雪を見て詠んだのがこの詩なのだそうです。詩の雰囲気とはずいぶんちがいますね。小雪の降る日に。　（K）

2/15

コノサカヅキヲ受ケテクレ
ドウゾナミナミツガシテオクレ
ハナニアラシノタトエモアルゾ
「サヨナラ」ダケガ人生ダ

于《う》武《ぶ》陵《りょう》

『井伏鱒二全詩集』

井伏鱒二訳／岩波文庫

9世紀ごろの中国の詩人、于武陵の五言絶句を翻訳したものです。この自由な訳詩はあまりに有名で、井伏鱒二のイメージとも重なり合っています。良いことには邪魔が入るもの（“花に嵐”）だし、人生には別れがつきものなのだから、せめて今だけは酒を酌み交わそうという呼びかけです。もう二度と会えないということではなく、今こうしてめぐり逢えていることの方に力点を置こうという考え方は、敷衍していくと2/7の言葉とも通じ合うようです。井伏鱒二の誕生日に。　(S)

2/16

「旅慣れた人」は、旅などしていない。

早瀬耕

『未必のマクベス』
ハヤカワ文庫

出張中の主人公を乗せた飛行機が、トラブルのため思いがけずマカオに着陸するところからはじまるこの小説の冒頭に登場します。同じ意味の言葉にはいろんなところで出会いますが、その度に深く納得させられます。自分がしたいのは旅ではなく、帰属している社会の編み目を一時的に捨て、部外者として別の社会に身を置くことなのだな、と。ならば、小説の中の風景に惹かれて飛行機に乗り、その先にある現実世界で幻滅や驚きを感じたいと願うのは、旅への衝動と言えるのでしょうか？ 温かい土地が恋しいこの時期に。 (S)

2/17

何故だかその頃私は
見すぼらしくて美しいものに
強くひきつけられたのを
覚えている。
風景にしても
壊れかかった街だとか、
その街にしても
よそよそしい表通りよりも
どこか親しみのある、

汚い洗濯物が
干してあったり
がらくたが
転してあったり
むさくるしい部屋が
覗いていたりする
裏通りが好きであった。

梶井基次郎

「檸檬」／『梶井基次郎全集』

ちくま文庫

この言葉、共感する人も多いのでは？　綺麗なお店より汚いお店、綺麗な街並みより薄汚れた街並みのほうが好きっていう人、けっこう多いですよね。それはやっぱり、人間味があるからでしょう。人間がいて、そこで生活していれば、汚く汚れていくのが自然ですから。梶井基次郎も「よそよそしい表通り」と書いていますが、オシャレで清潔なものって、どこかよそよそしい感じがします。それは人間味を拒絶しているところがあるからかもしれません。今日は梶井基次郎の誕生日。

（K）

2/18

〝底つき〟体験については、
誤解している人間が多い。
なにかロマンチックだったり
悲愴だったりすることが
起こると思っているのだ。

ドナルド・レイ・ポロック

「試合」／『ノッケムスティフ』
Doubleday

ここで語られる“誤解”とは、「1つの劇的な出来事（底つき体験）が依存症患者を回復させる」というイメージを指します。現実には、ただひたすらじりじりとした変化を耐えるのが回復過程、と主人公は感じているのです。これを裏返して人生一般にあてはめると、苦しさの頂点にいるようでも、実は知らないうちに好転期に入っているのかもしれない。だから、慌てたり思い詰めたりする必要はないということになりそうです。作者もまた、50歳から小説を書きはじめ、この短篇集でデビューしました。まだ寒さの続くこの時期に。　(S)

［Donald Ray Pollock, *The Fights*, *Knockemstiff*］

2/19

健康は……一つの均衡、凡庸なことだ……
私たちは他人と違うことによってしか
価値をもたない。
（中略）
故に、
今や病人を欠如とみなすのをやめよう。
逆に、それ以上の何かだ。

ジッド

『パリュード』
小林秀雄訳／岩波文庫

病人にとっては、ずいぶん勇気づけられる言葉です。健康がバランスのとれた状態だとすれば、病気によってどうバランスが崩れるかで、人間の多様性が生まれ、そのことが文学はもちろん、さまざまなことに陰影や色合いを与えているのかもしれません。健康が第一のはずのスポーツでも、サッカーの二大トップスターのメッシは先天的な難病ですし、クリスティアーノ・ロナウドも若い頃に心臓の手術をしています。病気はたんなる欠如ではないのかもしれません。今日はジッドの命日。（K）

2/20

わたしの職業において、
〝善良さ〟という言葉は複雑な意味を持つ。
善良な男女が、
ひどい犯罪に手を染める場合もあるからだ。
ちょうど、邪悪な意志を持った人間が、
法廷ではけっして有罪判決を
受けない場合があるのと同じように。

ウォルター・モズリイ

『ブラッド・グローヴ』
Mulholland Books

南部の人種差別を逃れてLAに移住し、生きるためにやむを得ず私立探偵となった黒人、イージー・ローリンズが主人公のノワール小説です。舞台は1969年で、社会全体が大きな変化を遂げつつあります。しかし黒人を取り巻く不条理は変わっていません。そんな現実を知り尽くしたイージーの述懐がこれ。法律を個人の判断で乗り越えていくのは危険な行為ですが、それでも法律の側が間違っている場合もある、という認識は手放すべきではないのかもしれません。今日は世界社会正義の日なのだそうです。 (S)

[Walter Mosley, *Blood Grove*]

2／21

母語が英語ではないこと、
西洋語でさえないことは、
場合によっては、生産的な結果を
もたらしうるのではないか
と思うのである——というより、
そう願うのである。

水村美苗

『増補 日本語が亡びるとき 英語の世紀の中で』

水村美苗／ちくま文庫

小説家・水森美苗は、英語を母語にしようと思えばできる環境で育ちながらそうはせず、“日本語という言葉に固執”し、作品を書き続けている人です。そういう選択肢を持たなかった人間からすると、日本語という母語は国境と一体化した堅牢な檻にしか感じられないことがままあります。しかし、そういう、“いつも言葉にかんして思考することを強いられた人たち”こそ“真に恵まれている”のではないか、と粘り強く考え続けるのがこの本です。安易な救いにはなりませんが、日本語を母語とする人間には一条の光です。国際母語デーに。 (S)

2/22

わたしはつねに
真実を追究する
人々の側に与《くみ》してきたが、
かれらがそれを
見つけたと考える時は
かれらから
離れることにしている。

ルイス・ブニュエル

『ルイス・ブニュエル著作集成』

杉浦勉訳／思潮社

剃刀で目玉を切る映像があまりに有名な短編映画『アンダルシアの犬』から、コントのように可笑しい『欲望のあいまいな対象』まで、とてつもなく幅広い映画を作ったブニュエルの文章を編んだ本です。これは、最晩年のものとされる原稿の冒頭部分。次から次へと話題が飛んでいきますが、世界観から映画論までが凝縮されていて、興味深い小文です。この言葉は、あらゆる分野の“専門家”たちが“真実”を言い立てる今日、私たちがますます肝に銘じておくべき姿勢であるようにも感じられます。ブニュエルの誕生日に。　(S)

2/23

自分を騙さず、

人に騙されずにいてほしい。

不運はしっかり見据えることを学んでほしい。

うまくいかないことがあっても、たじろがず、

運が悪くても、しょげないことだ。

エーリッヒ・ケストナー

『飛ぶ教室』

池内紀訳／新潮文庫

ドイツの寄宿学校を舞台にした児童文学の前書きに登場する言葉です。著者は、“子どもはみな幸せ”という大人が持っている固定観念に憤り、人生に大切なのはどれほど深く悲しんだかだと説き、それでも“きみたちにはできるだけ幸せになってほしい”と訴えかけます。ただしこれだけは気をつけてもらいたいと書きつけられるのがこのくだり。刊行当時(1933年)の暗くなる一方の情勢を踏まえたこのストレートな励ましは、今また鮮やかに胸を打つようです。著者の誕生日に。

(S)

2/24

春まだ寒さの身にしむ頃の事でした、ある夕方、私が軒端に立って、湖の夕方の景色を眺めていますと、すぐ下の渚で四、五人のいたずら子供が、小さい猫の児を水に沈めては上げ、上げては沈めしていじめているのです。私は子供たちに、お詫《わび》をして宅につれて帰りまして、その話を致しますと「おお可哀相の小猫むごい子供ですね——」と言いながら、そのびっしょり濡れてぶるぶるふるえているのを、そのまま自分の懐に入れて暖めてやるのです。その時私は大層感心致しました。

小泉節子

「思い出の記」／『新編 日本の面影』2

角川ソフィア文庫

小泉節子は、小泉八雲（ラフカディオ・ハーン）の妻。彼女が、夫の八雲が亡くなった後で、その思い出を語ったのが「思い出の記」。八雲の人柄が生き生きと伝わってきて、とても感動的な文章です。ここにも書いてあるように、小泉八雲は生き物に対して、とてもやさしい人でした。人間も含めて、弱いものに対してやさしかったのです。その代わり、冷酷な人が嫌いで、そういう人にはとても怒りました。ですから、八雲は、やさしくて、怒りっぽい人です。それは矛盾していません。（K）

2/25

妙な冒険に
誘われたら、
神様からの
ダンス・レッスン
だと思うこと。

カート・ヴォネガット

『これで駄目なら 若い君たちへ——卒業式講演集』

円城塔訳／飛鳥新社

この講演集の巻末には、小さな箴言集が付いています。その中にあるこの言葉は、『猫のゆりかご』（ハヤカワ文庫）に登場する架空の宗教〈ボコノン教〉の教えの1つです。ボコノン教というのは、もちろん既存の宗教（特に“カルト教団”）のパロディであり、宗教をひねりながら裏返しにひっくり返したような内容を持っています。それはともかく、誰かからの誘いに乗るか乗らないか、天秤にかけるときにこの言葉はきわめて有効です。春を目指し、少しずつ行動範囲を拡げたくなるこの時期に。 (S)

2/26

どんなつまらない
種類の動物だって、
絶滅するまでには何千、
何百年もの時間がかかる。
ところが製品は数日で
地球の表面から
抹消されてしまう。

ミシェル・ウエルベック

『地図と領土』

野崎歓訳／ちくま文庫

孤独な芸術家ジェドは、個展の図録への寄稿を依頼すべく、人間嫌いの小説家ウエルベック(!)に会います。その時に、彼の口から出てくる愚痴がこれ。今や、芸術家や小説家ですら“文化的な製品”にすぎないのだ、と消費社会のあり方を皮肉に嘆きます。たしかに、あとで買おうと思っていると手に入らなくなる“製品”の代表として、書籍が挙げられます。馴染みの書店の棚がいつまでも様変わりせず、端から1冊ずつ読んでいけた日々が懐かしく思えてしまいます。ウエルベックの誕生日に。　(S)

2／27

ぼくらはみな　おなじ列車にこしかけ
時代をよこぎり　旅をしている
ぼくらはそとを見る　ぼくらは見あきた
ぼくらはみな　おなじ列車で走っている
そして　どこまでか　だれも知らない

エーリヒ・ケストナー

「列車の譬喩」／『人生処方詩集』

小松太郎訳／岩波文庫

ケストナーからもう1冊。彼には、詩を薬と見立てて使用法と共にまとめた詩集もあります(書名のとおり!)。この詩は、「問題がおこったら」読むと良いとされています。友人知人たちとは、同じ列車で旅しているうれしさや楽しさがあります。でもこの列車には見知らぬ人たちも乗っていて、彼らの姿に心をかき乱されることも。そんなときに、結局のところだれもが行き先を知らずに風景を眺めているのであって、その点では全員同じ立場にあると考えると、この旅はもっと気楽になるようです。　(S)

2/28

将来にむかって歩くことは、
ぼくにはできません。
将来にむかってつまずくこと、
これはできます。
いちばんうまくできるのは、
倒れたままでいることです。

フランツ・カフカ

『絶望名人カフカの人生論』

頭木弘樹訳／新潮文庫

結婚したいと思っていた恋人に、1913年2月28日〜3月1日の夜にカフカが書いた手紙です。何かよくないことがあったわけではありません。それどころか、初めての本が出版され、勤めていた会社でも出世した直後です。それでも、こういうことを書くのがカフカです。普通なら、倒れても立ち上がれることを自慢するでしょう。しかし、カフカは、倒れたままでいることがいちばんうまくできると書くのです。何かの出来事から立ち直れないでいる人には、救いとなる言葉。私もそうでした。（K）

2／29

自分の本が、あっという間に
ベストセラーになってくれるよりは、
長く、十年、二十年と、
一つの本が読み続けられて、
長く長くかかって、十万部、
二十万部が売れたよと言われるほうが、
ずっと私にとっては嬉しいことなのです。

赤川次郎

『イマジネーション～今、もっとも必要なもの～』
光文社文庫

何度も何度もあっという間にベストセラーになったことのある赤川次郎だけに言葉に重みがあります。作家はなぜ、一度に多く売れることより、長く読み続けられることを願うのでしょうか？　林檎が落ちることから万有引力を発見するように、現実を深くとらえ普遍的な典型にまで到達できた文学は、流行に左右されず、長く読み続けられます。それが理想なのかもしれません。赤川次郎は、うるう年の今日の生まれ。「五十六歳ですけれども、誕生日は十四回しか来ていない」とこの本に。　（K）

3月

3／1

選ぶ道がなければ、
迷うこともない。
私は嫌になるほど
自由だった。

安部公房

「鞄」／『笑う月』

新潮文庫

大きな鞄を下げた青年が事務所にやってきて、雇ってほしいと言います。なぜうちに勤めたいのかと聞くと、「この鞄のせいでしょうね」「ただ歩いている分には、楽に搬《はこ》べるのですが、ちょっとでも階段のある道にさしかかると、もう駄目なんです。おかげで、運ぶことの出来る道が、おのずから制約されてしまうわけですね。鞄の重さが、ぼくの行き先を決めてしまうのです」。私も病気だったため、ベッドでできる仕事を選ぶしかありませんでした。そういう人もいます。就活解禁日に。

（K）

3/2

なぜ、この不幸な世の中を
作ったのですか？
私はどうして
生きているのですか？
そして、これが
いつまで続くのですか？

イ・ラン

『アヒル命名会議』
斎藤真理子訳／河出書房新社

手塚治虫の漫画の中でブッダもこう言っています。「人間はなぜ苦しむのだろう　なぜ生きるのだろう　なぜこんな世界があるのだろう　なぜ宇宙はこんな世界をつくったのだろう」（『ブッダ』第１巻『手塚治虫漫画全集』287巻　講談社）。生きることが楽しいことばかりなら、誰も疑問を抱かないでしょう。しかし、苦しいこともたくさん。そうすると、苦しいのになぜ生きなければならないのか？　この世界はなぜこうなのか？　と根源的な疑問がわいてきます。自殺が多い3月に。

（K）

3/3

わたしひとりの音させている

山頭火

『山頭火句集』

ちくま文庫

五・七・五にこだわらず、季語もない、自由律俳句です。ひとりぼっちのさみしさが、とてもよく伝わってくる句です。ひとりだと、自分が立てる音しかしませんから。ひきこもっていたことのある人には、よくわかるでしょう。山頭火は「音」を読むのが巧みだと思います。他にもこういう句があります。「雨だれの音も年とつた」「分け入れば水音」「水音といつしよに里へ下りて来た」「かさりこそり音させて鳴かぬ虫が来た」「飲みたい水が音たててゐた」。今日は「耳の日」です。　(K)

3/4

たのしみは
朝おきいでて
昨日まで
無かりし花の
咲ける見る時

橘《たちばな》曙《あけ》覧《み》

「独楽吟」／『橘曙覧全歌集』
水島直文・橋本政宣編注／岩波文庫

橘曙覧は幕末の国学者であり歌人です（明治に改元される10日前に没）。この「独楽吟」は、日常生活でのささやかなよろこびに目を向ける連作52首で、すべて「たのしみは」ではじまります。日常のしあわせはほんのちょっとしたことの中にあるわけですが、気づかなければ素通りしてしまいます。そういう意味で、「独楽吟」は毎日の摩擦で鈍っていた感覚をみずみずしくよみがえらせてくれるのです。スヌーピー（『ピーナッツ』）の名言、「しあわせは…あったかい子犬」（谷川俊太郎訳）を思い出させます。春先に。　(S)

3/5

もしあたしが、
たった一人のアンだとしたら
もっとずっと楽なんだけれど、
でも、そうしたら
いまの半分もおもしろくない
でしょうよ。

モンゴメリー

『赤毛のアン』
村岡花子訳／新潮文庫

孤児院で暮らしていた11歳の少女アンは、マシューとマリラ兄妹の家に引き取られます。赤毛がコンプレックスだけれど想像力豊かで、おしゃべりで正義感の強い彼女が成長してゆく姿を描くシリーズの1作目です。1つのことに集中することで成功を収める人の話はよく耳にしますし、そうできたら良いなあとは思いつつ、世界に溢れる面白いことがあれもこれも気になるタイプの人間にとっては、我が意を得たりと言いたくなる言葉です。温かくなりはじめ、視野も広がるようなこの時期に。（S）

3/6

聳《そび》えようとは
夢思わないが、
痩せても枯れても
独り立ちだ！

エドモン・ロスタン

『シラノ・ド・ベルジュラック』
渡辺守章訳／光文社古典新訳文庫

言葉にも剣術にも秀でたシラノは、人並みはずれた大きな鼻を持ち、そのせいで従姉妹のロクサーヌに心を伝えられないばかりか、ひょんなことからそのロクサーヌに恋をした美青年の助太刀をするはめに。このセリフは、いい加減に無鉄砲はやめて“庇護者”を見つけたらどうだと諭す友人に対して、他人の力を頼みに生きるようなことはしたくないと切り返す場面に出てきます。仕事の場では、こんな啖呵が切れたらすっきりするのに、と感じる局面がしばしば訪れるものです。実在したシラノの誕生日に。 (S)

3/7

「でも、あたしの小母《おば》さんだってこと想像できるわ」

「あたしにゃできないね」マリラはむずかしい顔で答えた。

「小母さんは、ほんとうのこととちがったことを想像することないの？」アンは目を丸くした。

「ないね」

「まあ！」とアンは息をのみこんで「まあ、ミス・じゃない――マリラ、それではどんなにつまらないでしょうね」

モンゴメリー

『赤毛のアン』

村岡花子訳／新潮文庫

アンらしい言葉の出てくるやりとりをもう1つ。実はマリラたちは当初、男の子を希望していました。それでアンを送りかえすことも考えたマリラでしたが、彼女を観察した結果、賢くて働き者、おぼえも早いことがわかり引き取ることに決めます。唯一の欠点は、想像の世界に飛び立って大失敗をしたり怒られたりするまで戻ってこないこと。このやりとりは、“ほんとうのこと”よりも想像の方を取りたいと訴えるアンと、それを否定するマリラとの間で交わされたものです。 (S)

3/8

自分の中の違和感、
自分の苦しみに
徹底的にこだわり
つづけることは、
なんとすばらしい
ことだろう。

信田さよ子

『家族収容所』
河出文庫

臨床心理士として長年、DVや依存症、子ども虐待などの現場に寄り添ってきた著者が、社会に設けられた“家族”という仮構について考えた本です。“仮構”などというややこしい言葉を使ったのは、“家族問題”のような言葉を使うと、そのとたんに“被害者”という特定集団の話に狭められかねないからです。しかしここで俎上に載っているのは社会そのものであり、だからこそこの言葉もまた、“違和”や“苦しみ”に目を閉じないことはすなわち思考し続けることであるという意味において、普遍的な広がりを持つのです。国際女性デーに。 (S)

3/9

あなたは　よる眠る
あたしは　眠れない
あなたの　寝姿を
見ていると悩ましい

ジャック・プレヴェール

「あなたが眠るとき」／『プレヴェール詩集』

小笠原豊樹訳／岩波文庫

自分が眠れないときに、そばですやすや気持ちよさそうに眠っている人がいるというのも、不眠症の苦しみのひとつではないでしょうか。自分ひとりなら、起きたり、音楽を流したりもできるわけですが、他に寝ている人がいると、静かにしないといけないですし、灯りもつけられません。しかも、目の前で、気持ちよさそうにすーすー眠っていたら……。シャンソンで有名な名曲『枯葉』の歌詞もプレヴェールです。1945年3月9日に公開された映画『天井桟敷の人々』の脚本も書いています。（K）

3/10

それで私の
さみしいは、
何を貰《もろ》うたら
なおるでしょう。

金子みすゞ

「玩具のない子が」／『金子みすゞ童謡全集』
JULA出版局

これは詩の最後のところで、その前はこうなっています。「玩具のない子がさみしけりゃ、玩具をやったらなおるでしょう。母《かあ》さんのない子がかなしけりゃ、母さんをあげたら嬉しいでしょう。母さんはやさしく髪を撫で、玩具は箱からこぼれてて」。さみしさの中には、解決策があるものもあります。でも、どんなことをしても解決できない、さみしさもあります。そういうさみしさを、金子みすゞはずっと詩にうたい続けた人ではないかと思います。今日はその金子みすゞの命日。　(K)

3/11

バカげたことというのは、
何度でも繰り返し起こる。
人間が自分のことばかり
考えるのをやめれば、
すぐに気づくことだ。

アルベール・カミュ

『ペスト』
Gallimard

災厄はいつでも人間を不意打ちします。兆候が目の前にあり、過去の歴史を知っていても、実際にそういう状況が訪れると、容易には信じられないというより信じたくないあまりに、「そんなバカな」と否定したり、根拠のない希望的観測にすがりついたりしがちだからです。そして困難の最中にはこのことを噛みしめながら生きるのですが、ひとたび喉元を過ぎれば元の木阿弥に。兆候に怯え続けるのは疲れますが、せめてこの言葉だけは記憶しておきたいと感じます。東日本大震災の日に。　(S)

[Albert Camus, *La Peste*　参考：『ペスト』宮崎嶺雄訳／新潮文庫]

自分の相場が
下落したとみたら、
じっとかがんでおれば、
しばらくするとまた
上がってくるものだ。

勝海舟

「氷川清話」／『勝海舟全集』14

江藤淳、勝部真長編集／勁草書房

幕末ものの物語でおなじみの勝海舟が、晩年に口述した自伝です。一人称は“おれ”、キレの良い江戸弁でざっくばらんに語り下ろされています。古今の人物評から、間一髪で命拾いした体験などにいたるまでを、活き活きとした口語で読むと、つい最近の人のように感じられます。人生のさまざまな局面と向き合うための智慧もたっぷり詰まっていて抜き出しどころはたくさんありますが、ここでは、自身の人生から滲み出てきたこの言葉を。“そう急いでも仕方がないから、寝ころんで待つが第一さ”だそうです。勝の誕生日に。 (S)

3/13

そのお人形は、
あんまりいろんなものが
見えてくるので、
疲れるのかもしれません。
生れつき、
ほかの人形たちより
弱いのかもしれません。

原民喜

「気絶人形」／『トラウマ文学館』
ちくま文庫

原民喜は広島で被爆し、詩『原爆小景』や小説『夏の花』などの作品を残しました。一方で、とても素晴らしい童話も書いています。『気絶人形』もそのひとつです。みんなが楽しそうにしているとき、自分だけは苦しいということありますよね。現実への怖れ、過敏さゆえの苦しみ……。「ああ、この人形は自分だ！」と感じる方も多いでしょう。原民喜も、とても繊細な人だったようです。まともに挨拶すらできなかったそうですから、今ならコミュ障と呼ばれていたかも。今日はその命日。　(K)

3/14

私たちは死ぬために生きている、といったらおかしいか。その生と死は（中略）、自分ひとりだけのものなのだが、その生と死の結果は必ず誰かに影響を与える、ということも真実なのだ。だとしたら、ぎりぎりに考えて、自分の行為の結果が今生きている他者に影響を及ぼす可能性があれば、全体験全知識をあげてその行為を実践しなければならぬ責任がある、ということである。

内山秀夫

『内山秀夫 いのちの民主主義を求めて』

内山秀夫遺稿集刊行委員会編／影書房

1人の政治学者が、政治学科の新入生に向けて語りかけた言葉です。“国際社会、国家あるいは社会”のようなものによって“規定”されることなく、自分の頭で考えていく。そのための手がかりとして読むべき、“基礎文献”を紹介する文章の中に登場します。1983年に書かれたものですが、人生の選択肢が増大した今、家族や子どもの有無あるいは国籍などに関わらず責任ある生き方をするための指針として、この言葉の持つ普遍的な有効性はますます高まっているようです。卒業式の季節に。（S）

3/15

「田圃《たんぼ》の中を通っている
雨上がりの道を歩いていて
向こうの木に囲まれた
農家の白壁の土蔵に
日が差し始めたのを見て
本式に晴れて来たのだと思う。
我々の生活ってそういうことで
出来上っているんじゃないですかね」

吉田健一

「絵空ごと」／『絵空ごと 百鬼の会』
講談社文芸文庫

ほんとうの意味での文化人たちが、夜な夜な語らい合うという小説です。目の前のものを見ているようで見ていないのは、よくあること。要らない情報のせいだったり、蓄えた知識で頭の中ががんじがらめになっているせいだったりと原因はさまざまですが、まずは視界を遮るものを取り払い、目に映るものをそのまま見る。そうすると、何気ないものに胸を衝かれたりもする。それこそが人生の醍醐味。この本にはいろんな話題が出ますが、煎じ詰めればそういうお話なのだと思います。感覚の広がる春先に。 (S)

3／16

「もうやることはやったぜ。」

イカサマが、
かすれた声でやっといいました。

「ああ、おたがいにな。」

ガクシャがそれに答え、ヨイショも、

「りっぱなものよ。」

とつけ加えました。

斎藤惇夫

『冒険者たち ガンバと十五ひきの仲間』

藪内正幸 画／岩波書店

町ネズミのガンバは、15匹の仲間たちと共に夢見が島に渡り、イタチのノロイとの厳しい戦いを繰り広げます。島では、このノロイのために仲間がおおぜい殺されていたのです。このやりとりは、命を失うかもしれない最後の戦いを前にして、仲間たちが交わしたものです。ガンバはその場にいませんが、きっと助っ人を連れて戻って来ると彼らは信じています。どういう仕事においても、事後の評価よりも先に、こう思えるまで力と手を尽くしたいもの、と考えさせられます。年度末の時期に。 (S)

3/17

私たちは、憤って、あるいは情熱的に、
圧政や残虐について、犯罪や献身、
自己犠牲、美徳について語る。
しかし、言葉を超えた、
本当のことは何も知らない。

ジョウゼフ・コンラッド

「文明の前哨地点」／『コンラッド短篇集』
井上義夫編訳／ちくま文庫

植民地の交易所を舞台にした短編です。白人２人の下で働く黒人が、ある時、現地人“人夫”の身柄と引き換えに象牙を手に入れます。白人は怒り、引き換えにされた奴隷の身の苦しみを思いますが、だからといってなにをするわけでもありません。立派な言葉を信じてはいますが、それだけのことだからです。不正や悪行の情報がひっきりなしに飛び込んでくる現代社会に暮らしていると、つい立派な理想を語りたくなりますが、そういう時はこの言葉を思い出すようにしています。あえて、「みんなで考えるSDGsの日」に。 (S)

3/18

好奇心は憎しみと愛を動かす大きな力だからね。

ジョウゼフ・コンラッド

「ある船の話」／『コンラッド短篇集』

井上義夫編訳／ちくま文庫

同じ短篇集からもう1つ。戦争のさなか、ある軍艦が一隻の船を見つけます。敵の潜水艦に補給物資を運んでいるのかもしれません。しかし、単なる民間船である可能性も。理屈で考えれば、手出しすべきではない船です。しかし軍艦の部隊長は、自分でもわからない強力な力に導かれ、冷酷な決断をします。謎めいた言葉ですが、憎しみや愛への入り口に好奇心があり、だからこそ、その先には死さえ待っているかもしれないのだと考えると、おそろしいほど身につまされます。

(S)

3/19

人が生きていること、
それだけで
どんな生にも
かなしみがつきまとう。

山田太一

「断念するということ」／『生きるかなしみ』

ちくま文庫

アンソロジーというのは、ヒットしたものでも、長く売れ続けることはあまりありません。ところが、この『生きるかなしみ』はもう30年以上も読み続けられています。1991年3月という、まだバブル景気で世の中が明るいことだけ見ようとしていた時期に、暗いというだけで否定されていた時代に刊行されたにもかかわらず、そこからずっと。この文は、その巻頭に置かれた、編者の山田太一の文章の一節です。生きるかなしみはいつの時代にもあるものなのでしょう。かなしいことですが。（K）

3/20

病人の秘められた欲望は、

だれもが病気になって欲しいということであり、

瀕死の人のそれは、

だれもが断末魔を迎えて欲しいということだ。

わたしたちがさまざまの試練のなかで願うのは、

他の連中がわたしたちと同じように、

わたしたち以上ではなく、

ちょうど同じだけ不幸であって欲しい

ということだ。

シオラン

『時間への失墜』

金井裕訳／国文社

この言葉はもう本当にその通りです。私は病人ですが、正直に言うと、まさにこう思っています。健康な人たちは、じつに思いやりがないから、気持ちをわかってもらえるよう、同じ目にあってほしいと願ってしまいます。後半の「ちょうど同じだけ不幸であって欲しい」が絶妙です。自分より不幸になれとまで願うわけでは決してありません。でも、同じだけ不幸であってほしいとは思ってしまいます。でも一方で、世界中のみんなが健康であってほしいとも思います。今日は「未病の日」。

（K）

3/21

戦争なんかどうでもよかった。巻き込まれたくなかったし、開戦当初には日本人が勝てば良いのにと思ったりしたものだが、そんな時以外、戦争については考えたことすらなかった。だが今は違った。小さい頃、目の前を通り過ぎるパレードの国旗を見た時のように、おれは興奮していた。祖国を思う気持ちでいっぱいだった。おれもその一部なんだ。一度もそんなふうに感じたことはなかった。すばらしい感覚だった。

チェスター・ハイムズ

『わめき出したら放してやれ』

Serpent's Tail

第二次世界大戦中のLAの町が舞台です。主人公ボブは、新天地を求めてオハイオ州から出てきた黒人青年。海軍の造船所で職長の地位にあり、裕福なガールフレンドもいますが、日常生活の隅々で出会う人種差別に神経をすり減らしています。当初は他人事だった戦争状況を通して、ようやく"祖国"と一体化できたボブでしたが、日々その気持ちを裏切られ、憎しみではち切れそうになったまま町を彷徨うのです。作者も1950年代にはアメリカを離れ、ヨーロッパに移住しました。今日は国際人種差別撤廃デーです。 (S)

[Chester Himes, *If He Hollers Let Him Go*]

3/22

幸福な両の目よ、
おまえたちが
見てきたものは、
何はともあれ、
やはり本当に
美しかった。

ゲーテ

『絶望名人カフカ×希望名人ゲーテ 文豪の名言対決』

頭木弘樹訳／草思社文庫

今日はゲーテの命日。21歳から82歳まで61年かけて書き上げた『ファウスト』の一節です。人生の最期のとき、一生を振り返って、「何はともあれ、やはり本当に美しかった」と言えたら、素晴らしいですね。ゲーテは「どんな人生であっても、人生はいいものだ」とも言っています。どちらも人生の肯定ですが、「何はともあれ」「どんな人生であっても」というところに含みがあります。そこには、喜びばかりではなく、さまざまな悲しみも詰まっています。それを含めての肯定です。　(K)

3/23

急な山を登りつめて頂上に

腰をおろす旅人は、

ほっと一息いれるのが

もうかぎりもない喜びだろうが、

もし永久にそうやって休息していろと

無理じいされたら、

彼は幸福であるだろうか？

スタンダール

『赤と黒』上

桑原武夫、生島遼一訳／岩波文庫

忙しく働いているとき、あるいは疲れているのに満員電車で立っているようなとき、やわらかい布団の上で横になれたら、どんなに幸せだろうと思うものです。では、ずっと横になったままでいられるとしたら、どうでしょう？「病人はずっと寝ていられていいなあ」と言う人もいます。私は難病になってそれを体験しましたが、それはそれは苦しいことでした。もう横になっている状態で苦しいと、それ以上、休みようがないので、楽になることができません。今日はスタンダールの命日。

(K)

3/24

猫を顔の上へあげて来る。
二本の前足を摑《つか》んで来て、
柔らかいその蹠《あしのうら》を、
一つずつ私の眼蓋《まぶた》にあてがう。
快い猫の重量。温かいその蹠。
私の疲れた眼球には、しみじみとした、
この世のものでない休息が伝わって来る。

梶井基次郎

「愛撫」／『梶井基次郎全集』
ちくま文庫

梶井基次郎の作品の中でも好きな人が多い『愛撫』という短編小説の一節です。猫好きにも愛されている作品です。エッセイのような感じで、猫とたわむれながら、いろんなことを考えるという内容なのですが、その中の「しみじみとした、この世のものでない休息が伝わって来る」というところが、なんとも胸にしみます。梶井基次郎は若い頃、いい小説を書くために、結核になりたいと願っていました。その願い通り、本当に結核になって、31歳の若さで亡くなってしまいます。今日は檸檬忌。　(K)

3/25

しげるが、
たまごやきを
くれたので、
こぐも、
くるみをひとかけ、
あげました。

中川李枝子

『いやいやえん』
大村百合子絵、子ども本研究会編集／福音館書店

ちゅーりっぷほいくえんに、ある日“やまのこぐ”という名前の男の子がやって来ることになりました。ところが姿を現したのは、小さなクマの子どもだったのです。出迎えたしげるは、クマなんて入れないと応えます。怖がる子どもたちもいます。でも先生がやってくるまでに、こぐはみんなの中に溶けこんでいました。最初は拒絶していたしげるとも、お弁当を分け合う仲に。言葉を必要としないこの何気ない場面には、心をじんわりとゆるめる力があります。新年度に備えて。 (S)

3/26

ああ、神様、歓喜の一日を、
私にお与えください。
心の底から喜ぶということが、
もうずっと私にはありません。
いつかまたそういう日が来るのでしょうか？
もう決して来ない？
そんな！　それはあまりにも残酷です。

ベートーヴェン

『絶望書店　夢をあきらめた9人が出会った物語』
頭木弘樹訳／河出書房新社

ベートーヴェンの耳が聞こえなくなったのは、晩年ではなく、じつはもっとずっと若く、26歳くらいからです。音楽家にとって、耳が聞こえないというのは大変なことですから、ずっと隠していたのです。バレないように人づきあいも避けます。そして、なんとかして治そうと頑張ります。しかし、ついにあきらめて自殺も考えます。この言葉は「ハイリゲンシュタットの遺書」の一節。しかし、希望を捨てたことで、かえって創作は盛んになり、名曲を立て続けに生み出します。今日はベートーヴェンの命日。（K）

3/27

夜中に布団を引っかぶっていると、昨日、今日のあるいは過去の自分のやった恥ずかしいことが一つ一つ突然心に甦《よみがえ》って、居《い》てもたってもいられなくなり、

「アアッ、アーッ。アアッ」思わず、大声をたてているのです。

何だ、そんなことか、と思われる人は気の強い奴。気の弱い奴なら、この夜の経験は必ずあるはずだ。

それがないような奴は、友として語るに足りぬ。

遠藤周作

『ぐうたら人間学　狐狸庵閑話』

講談社文庫

恥ずかしいことを思い出して声を上げるなんて、普通なら「そんなことではダメだ！」と叱咤《しった》するところでしょう。でも、遠藤周作は「それがないような奴は、友として語るに足りぬ」と言ってくれます。こういう人がいるだけで、どれだけほっとできることでしょう。遠藤周作は37歳のときに大病をして3度も大手術をし、一時は心肺停止の危篤状態にまで。そのとき「こりゃあかんわ」と思ったのがきっかけで、狐狸庵閑話という楽しいエッセイを書き始めます。今日は遠藤周作の誕生日。（K）

3/28

ブルースは絶望を家の外に
追い出すことはできないが、
演奏すれば、その部屋の隅
に追いやることはできる。
どうか、よく覚えて
おいてほしい。

カート・ヴォネガット

『国のない男』
金原瑞人訳／中公文庫

音楽で絶望を追い払えるとまで言ったらウソになるかもしれません。でも、「部屋の隅に追いやることはできる」なら、それはたしかに、できるのではないでしょうか？ この控え目な言い方が素敵です。音楽の中でも、ブルースは、アフリカからアメリカに奴隷貿易で連れてこられた人たちが、苛酷な労働の中で生み出した労働歌が元です。作曲家のW.C. ハンディはそれを耳にして、素晴らしいと思って、世の中に広めました。「ブルースの父」と呼ばれる、そのW.C. ハンディの命日に。（K）

3/29

おのれを出した焼物にろくなものはない。

井伏鱒二

『珍品堂主人』
中公文庫

かつては学校の先生だった珍品堂は、ふとしたことから古美術品の魅力に取り憑かれて骨董商の道に入りました。自分で価値を見出したり創り出したりするのがこの商売、焼物についても明確な持論があります。それがこの言葉なのですが、ある時、名工に自分らしさを捨てろと注文し、名工の側も素直に従います。だからこそ名工ということなのでしょう。仕事で“おのれ”を消すのは難しいことですが、新年度を迎えるにあたってそんなことを考えてみてもいいかもしれません。

(S)

3/30

厄介な病気を背負い込んだ人間にとって、一番欲しいのは「普通」ということである。

向田邦子

「あとがき」／『父の詫び状』
文藝春秋

「普通」というのは不思議なものです。手にしているときには石ころにしか見えません。しかし、手が届かなくなると、どんな宝石よりも輝きます。新型コロナ以降、この気持ちがわかる人も増えたことでしょう。「普通の日」という記念日はないかと思ったのですが、ありませんでした。なんでもない普通の日をありがたく思う日があってもいいと思うのですが。では何の記念日でもない日は？　それが今日です（国立競技場落成記念日でしたが、もう建て替えられました）。珍しい日です。

（K）

文明開化とは、
江戸は終った、
しかし新時代の正体は
誰にも分からない、
そんな真空状態の中で
普通の人々が見た
夢のようなものだった。

藤森照信

『日本の近代建築』上

岩波新書

幕末と聞くだけでそわそわワクワクする人が多いのはなぜ？ とかねてから不思議だったのですが、開国からはじまる日本の近代建築の歴史を解き明かすこの本のこの言葉に接して、腑に落ちました。まだ道筋の定まらない大きな変化の中で感じられる、不安とない交ぜになった自由の触感、ということだとしたらわかります。ならば、この感覚を手がかりにすれば、今がそういう時代だと誰よりも早く気づけるのでは、と楽しい想像がどこまでも広がるようです。日米和親条約が結ばれた日に。 (S)

4月

4/1

私たちは一度しか生まれない。
前の生活から得た経験をたずさえて
もうひとつの生活をはじめることは
決してできないだろう。
私たちは若さのなんたるかを知ることなく
少年時代を去り、
結婚の意味を知らずに結婚し、
老境に入るときですら、
自分が何に向かって歩んでいるかを知らない。

ミラン・クンデラ

『小説の精神』
金井裕、浅野敏夫訳／法政大学出版局

最初はうまくいかないことも、次はうまくいくことがあります。慣れないことより慣れたことのほうがうまくできるのは当然。ですから、もし人生が２回あれば、１回目にはうまく生きられなくても、その反省を生かして２回目はもう少しはうまく生きられるでしょう。人生が１回切りで、どの年代も１回ずつしか経験できないのはじつに残念なことです。私たちがいつも人生に戸惑って、うまく生きられないのはそのためでしょう。新年度が始まる4月1日は、クンデラの誕生日でもあります。 (K)

4/2

過去を活用して現在に意味を与える。
それが教養《カルチャー》だ。ある人物の記憶のかたまりが、
その人の教養となる。事実や名前、
日付に知悉していることは関係ない。
むしろその人がこれまでに考え、
感じてきたこと——
つまり経験してきたことの総体こそが、
教養なのである。

ポール・ボウルズ

「過去に開かれた窓」／『旅 1950年〜1993年』
Sort of Books

旅のエッセイを集めた本です。だからといって、旅によって得られるものだけが“経験”であるとは決して言えません。たとえば会話をしながら疑問点をスマホで検索するのは効率的ですが、帰宅してから疑問点を思い出すことからはじめる方が経験に近い気がします。境界線がどこにあるのかわかりません。でも、ある程度の“面倒”を経ることが重要なポイントになりそうです。もちろん、面倒の波状攻撃に身をまかせるのは、旅の醍醐味でもあります。新年度に向かって、心と身体を開くこの時期に。 (S)

[Paul Bowles, *Windows of the Past, Travels COLLECTED WRITINGS, 1950-93*]

4/3

これは私の持論なのだが、
小説家と役者は、
ほかの仕事をしていても
ある日、
突然なれる。

保坂和志

『書きあぐねている人のための小説入門』
草思社

小説を書くための実践的なアドバイスが詰まった本です。この言葉は、テクニックについての章の頭に登場します。存在感さえあれば役者になれるように、それまでの小説にないものを小説に持ち込み、それを読者に伝えることさえできれば小説家になれるというのです。よく考えればかなり高いハードルが設定されているわけですが、それでも「やってみようかな」と一気に昂揚させてくれます。4月にかこつけて、新しいことに手を染めるのもいいかもしれません。　(S)

もうひとりか、ふたり、
気にいってくれる人が
いるかもしれない、
そう思わない？

角野栄子

『魔女の宅急便』
角川文庫

13歳を迎えた主人公のキキは、魔女としてひとり立ちするために、見知らぬ町にやってきますが、そこで予想以上に冷たい歓迎を受けます。でもパン屋のおソノさんだけは、温かく受け入れてくれました。相棒の黒猫ジジは、「別の町を探す？」と尋ねますが、それに対するキキの答えがこれ。“誰も認めてくれない”と感じたら、気に入ってくれている人の顔を具体的に思い浮かべ、そういう人がほかにもいるはずと一度は想像してみるのがよさそうです。新年度のはじまりに。 (S)

4/5

おめえやおれの一生を
台なしにしやがるのは、
運勢なんてもんじゃねぇ、
人間どもなんだ。

ガルシン

「信号」／『紅い花　他四篇』
神西清訳／岩波文庫

今日はロシアの作家ガルシンの命日です。精神疾患の当事者の内面を見事に描いた小説『紅い花』が有名です。ガルシン自身が中学生のときから精神疾患に悩まされていました。露土戦争に従軍し、その体験から『四日間』などの小説も書きました。33歳で投身自殺。日本でも早くから翻訳され、太宰治はガルシンのファンでした。病気や戦争という運命に翻弄された人生でしたが、それでも彼はこう言っています。人間関係こそが、人の人生をいちばん左右してしまうものなのかもしれません。（K）

4/6

人間どうしの離合は、残酷なものだ。
ひとたび、はなれたものの
あいだを埋めるものは、
「絶望」にほかならず、
五十六億七千万年を越しても、
僕と荷風が、
むかいあって話しあうようなときは、
ぜったいにもう来ないのである。

金子光晴

『絶望の精神史』
講談社文芸文庫

近代日本を戦争に駆り立てた“絶望”をたどる本です。詩人金子光晴は東南アジアからヨーロッパを彷徨したあと、戦前の日本に帰還しました。その頃に、うらぶれた深川の裏路地で荷風を見かけます。痩せ衰えた“宿なし犬”のような様子だったといいます。日本に幻滅して飛び出たものの、それぞれの事情でどうしようもなく帰ってきた２人です。声をかけ合う気軽さはありません。人間同士を隔てるこの絶望を埋める方法があるのかどうかわかりませんが、別れと出会いの多いこの時期に。　(S)

4/7

よく人が、
盲人は真暗のように思っているが、
それは少しでも見えることで、
私には暗いのも
見えなくなっているので、
結局、明るくもなく、暗くもなく、
なんにもないことになる。

宮城道雄

『春雨』
青空文庫

宮城道雄は琴の名人です。作曲した『春の海』を耳にしたことのない人はいないでしょう。子どもの頃に視力を失い、琴の道に。口述筆記による随筆も、内田百閒や川端康成や佐藤春夫などにとても高く評価されています。目が見えない人が、世の中をどうとらえているかが、いろいろと書いてあって、その点でもすごく面白いです。たとえば、耳で声とか音を聞くだけで、相手の人の顔とか体つきとか、それどころか性格や、そのときの気分までわかったそうです。今日は宮城道雄の誕生日。　(K)

4/8

つとめ励むのは不死の境地である。

ブッダ

『ブッダの真理のことば 感興のことば』

中村元訳／岩波文庫

「ダンマパダ（漢訳「発《ほっ》句《く》経《ぎょう》」）」と呼ばれる仏教の聖典の1つが「真理のことば」で、ブッダ自身の言葉に最も近いのではないかと言われています。423の短い詩で構成され、意外なほどわかりやすく指針となる言葉が並んでいます。ここに挙げたのは、“はげみ”と題された第2章の最初の1文。ここで言う“不死”とは、生が充実していることを意味するのだそうです。であるとすれば、意外と簡単に“不死”になれるな、などと短絡したくもなります。日本では、ブッダが生まれたのは今日（花祭り）だとされます。　(S)

4/9

孤独《ひとり》で歩め。

ブッダ

『ブッダの真理のことば 感興のことば』

中村元訳／岩波文庫

「ダンマパダ」からもう1つ。これは、“象”と題された第23章に出てきます。“象”には、人生の伴侶、孤高の存在、荒れる心、自分自身などなどさまざまなものが重ねられています。たとえばこの後には、「求めるところは少なくあれ。──林の中にいる象のように」と続きます。象が登場するおかげで、イメージがぐっと広がるようです。なお同じ章には、「事がおこったときに、友だちのあるのは楽しい」という言葉もありますので、頑なに孤独を守る必要もなさそうです。 (S)

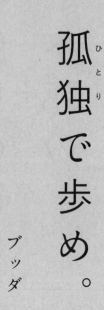

4/10

どこかでラジオの合唱だとか、

子供の声だとかがきこえると、

不意に鼻孔の奥に嗚咽《おえつ》がたまって

自分でびっくりしたことがあります。

孤独というものは、

けっこういろんなものにすりかえてすごしていて、

ふだんはそれほど感じないのですが、

身体の奥にじんわり溜《たま》っているんですね。

色川武大

「孤独」／『私の旧約聖書』

中公文庫

色川武大のように博徒としてアウトロー生活を送っていた人でも、こういうことがあるのかと驚かされます。人を遠ざけ、ひとりでいることを選んだとしても、孤独はときに人の心を揺さぶります。作家の牧野信一もこう嘆いています。「僕は生れながらに孤独の性質なんだが、決してその孤独を愛することは出来ないんだ」（『露路の友』青空文庫）。持って生まれた性質であってさえ、苦しんでしまうことが。孤独にしか生きられない者も、孤独に涙するときが。今日は色川武大の命日。 (K)

4/11

愛は負けても、親切は勝つ

カート・ヴォネガット

『ジェイルバード』

浅倉久志訳／ハヤカワ文庫

愛は何より大切と、多くの人が言っています。しかし一方で、愛の名のもとに、たくさんのいさかいや争いも起きます。また、人を愛したほうがいいとわかっていても、嫌いな上司ひとりを愛するのだって、どれほど難しいか。親切にすることは、それよりは簡単です。そして、親切な人がいなかったら、とてもこれまで生きてはこられなかったと私は思います。愛してくれなんてずうずうしいことを願う気持ちはありませんが、親切にはしてほしいとすごく思います。ヴォネガットの命日に。

（K）

4/12

判断をさし控えなければならないことが
たくさんあるのを認識し、
受け入れるには信仰が必要となる
教理《ドグマ》や啓示を
真剣に受けとらないようにしよう。
それらは過去において数えきれないほど
誤っていると証明されてきた。
来《きた》るべき時代においても、
ふたたび誤っていると証明されるだろう。

アーサー・C・クラーク

「信条」／『メデューサとの出会い』
中村融編、浅倉久志・他訳／ハヤカワ文庫

さまざまなかたちで信仰や超越的存在について考える作品を書いてきたSF作家クラークが、自らの“信条”を吐露した文章の一節です。答えが出ない疑問にも、いずれは明快な答えが見つかるだろう。それまではあせらず待とうという呼びかけです。知りたいという気持ちと、わからないという事実に引き裂かれながら、それでも知りたいという気持ちを手放さずに生き続ける、ということでしょうか。今日は、ガガーリンを乗せたスプートニク1号が打ち上げられた日、国際有人宇宙飛行デーです。（S）

4/13

どんな文学が
われわれを
図式化から、
さまざまな
わくから解放
できるだろうか？

ル・クレジオ

『物質的恍惚』
豊崎光一訳／岩波文庫

私たちは、いろんなことを図式化して認識します。世の中の仕組みはこうなっているとか。そして、さまざまな枠にあてはめることで理解します。男はこうとか、女はこうとか。ただ、その図式や枠は、どんどん更新していかなければなりません。図式や枠が固定化してしまうと、認識もそこで止まり、頭のかたい人になってしまいます。でも、いったん身についた図式や枠は、なかなか強固。それを打ち壊してくれるものこそが、文学です。ノーベル文学賞作家のル・クレジオの誕生日に。

（K）

4/14

己《おの》が名を
ほのかに呼びて
涙せし
十四の春に
かへる術《すべ》なし

石川啄木

『一握の砂』
青空文庫

大人になった今、多感な14歳の頃の自分に戻りたいと思っても、戻る方法はありません。だからこそ、そういうタイムトラベルものの小説や映画がたくさんあります。若い頃に戻りたい人は多いのです。でも、そういうのは、今の大人の心のまま、若い頃に戻るというのが一般的ですから、14歳の頃の多感な心を取り戻したいという願いはかないません。若い頃というのは、そのときは苦しいだけだったりしますが、後から振り返ると、もはや取り戻せないだけに、なんともせつないものです。（K）

4／15

私死にますとも、泣く、決していけません。小さい瓶《びん》買いましょう。三銭あるいは四銭位《くらい》のです。私の骨入れるために。そして田舎の淋しい小寺に埋めて下さい。悲しむ、私喜ぶないです。あなた、子供とカルタして遊んで下さい。如何《いか》に私それを喜ぶ、私死にましたの知らせ、要りません。もし人が尋ねましたならば、はああれは先頃《さきごろ》なくなりました。それでよいです。

小泉八雲

「思い出の記」／『新編 日本の面影』2
角川ソフィア文庫

今日は「遺言の日」。遺言というと、私はまず小泉八雲（ラフカディオ・ハーン）のこの言葉が思い出されます。亡くなる前に妻に語ったものです。やさしい人柄がよく表れています。小泉八雲というと怪談が有名です。『雪女』とか『ろくろ首』とか『耳なし芳一』とか、小泉八雲によって有名になった日本の怪談がたくさんあります。しかし、妻が書いた『思い出の記』を読むと、怪談のイメージとはまたちがったやさしい実像がわかり、その後で読むと怪談の印象まで大きく変わります。（K）

4/16

不安を知らない精神は
わたくしを
いらだたせるか、
あるいは退屈させる。

アナトール・フランス

『エピクロスの園』

大塚幸男訳／岩波文庫

不安は苦しいものです。感じないですめば、それにこしたことはありません。うまくいくはずのことさえ、不安のせいで失敗してしまう場合もあります。不安を消すにはどうしたらいいか、という本もたくさん出ています。しかし、不安を感じず、いつでも前向きでポジティブな人は、はたして魅力的でしょうか？　無神経な人と大差ないかもしれません。人には繊細さも必要です。繊細で微妙な感情のわからない人とでは、会話すら成り立ちにくいでしょう。今日はアナトール・フランスの誕生日。（K）

4/17

若さとは
こんな淋しい
春なのか

住宅顕信

『住宅顕信 句集 未完成』
春陽堂書店

住宅顕信は、22歳という若さで病気になって、それで妻とも離婚になってしまい、生まれたばかりの子どもを病室で育てながら、闘病していました。そういう中で、俳句を作り始めます。作り始めて3年後の25歳のときに亡くなってしまいます。281の句を残していますが、どの句も胸を打たれます。「若さ」と「春」の組み合わせで、こんなにさびしい句はなかなか他にないかもしれません。「どうにもならぬこと考えていて夜が深まる」という句も、眠れない夜によく思い出されます。

（K）

4／18

表面が白っぽくなった大トロのパック
（半額）を手にとって、買おうか買うま
いか、損か得か、まだまだうまいかもう
腐りかけか、迷っているとき、不意に
「ああっ」と叫びたくなる。
「人生って、これでぜんぶなのか」

穂村弘

「顔を覆って」／『世界音痴』
小学館文庫

2002年4月に刊行された、歌人・穂村弘の初めてのエッセイ集。その中の「顔を覆って」のこのくだりを読んだとき、とても感動しました。笑ってしまうのと同時に、すごくわかる気がしました。「人生って、これでぜんぶなのか」って、何度思ったことでしょう。みなさんも思ったことはないでしょうか？　どうでもいいことにあくせくして、それでどんどん毎日が過ぎていきます。それだけならまだしも、私は闘病だけで過ぎた期間も長かったので。人生にもっと何かがあってほしいものです。　（K）

我々は、本当に
異なっている。
しかも本当に
ひとりぼっちである。

オクタビオ・パス

『孤独の迷宮』

高山智博、熊谷明子訳／法政大学出版局

「我々は、本当に異なっている」というのは、素敵な言い方をすれば、「世界に一つだけの花」ということになります。でも、ひとりひとりがみんな異なっているとすれば、それはとても孤独なことでもあります。白い花に黒い花の気持ちはなかなかわかりません。多様であることは、素晴らしいことでもあり、孤独なことでもあります。でも、みんなが「本当にひとりぼっちである」と思えば、自分だけの孤独につぶされずにすむかもしれません。メキシコの詩人、オクタビオ・パスの命日に。

（K）

4/20

頭のよすぎる奴のするのは
せいぜい蟹が縦歩きする
たぐいのことじゃ

アリストパネス

『古代ギリシャの言葉』
ジャック・ラカリエール編・写真、中井久夫訳／紀伊國屋書店

アリストパネスは、古代アテナイの喜劇詩人で、ギリシャ喜劇の時代を生み出したと言われています。辛辣なセリフで、独裁や暴力だけでなく、“男性本位の硬直的な社会習慣”などを攻撃しました。この本はフランスの書き手が編み、それを精神科医の中井久夫がギリシャ語原典にもあたりながら訳したもの。他にも、「あらゆるこの世の不思議のなかで／もっとも大きな不思議は人である」（ソポクレス）など、味わい深い言葉が多数収められています。新年度、人と自分の“頭”を思わず比べてしまった時に。 (S)

4/21

この世の誰かにとって必要な人間になるくらいなら、わが身を生《いけ》贄《にえ》に捧げたほうがましだ。

シオラン

『告白と呪詛』

出口裕弘訳／紀伊國屋書店

「世の中の役に立つ人になりましょう」。学校ではそう教えられます。子どもたちも、役に立つ人間になりたいと願います。社会に出ても、役に立つかどうかで判断されます。判断されたほうも、役に立つ自分を誇ったり、役に立たない自分を責めたり。しかし、役に立つことは本当に素晴らしいのでしょうか？　まして「役に立たない人間は価値がない」というのは完全なる間違い。新しく社会に出て、自分が役に立たないことに愕然としている人もいる時期に、ぜひこのシオランの名言を。 (K)

敵の話に耳を傾けよう。
とりわけ、
賢い敵の言うことには。
そして、どうやったら
そいつらを
笑わせられるか考えよう。

ジョン・ウォーターズ

『もめ事を起こせ』
Algonquin Books of Chapel Hill

“悪趣味の帝王”こと“人民のヘンタイ”、映画監督ジョン・ウォーターズが、美術大学の卒業生に向けて語ったスピーチをまとめた本です。酷評されながら活動を続け、嫌悪されながらも創作をやめず、いつのまにか価値観を転倒させるような作品を社会に送り込んできた人物だからこその、胸のすく言葉が次々と飛び出てきます。その中の1つがこれ。ユーモアは身を守る最善の術にして最強の武器。バカとつきあわないことだけを心がけながら、社会を“美しく攪乱”してやれと扇動します。ウォーターズの誕生日に。 (S)

[John Waters, *Make Trouble*]

4/23

「本って、閉じているとき、
中で何が起こっているのだろうな？」
バスチアンはふとつぶやいた。
「（中略）だって開いたとたん、
一つの話がすっかりそこにあるのだもの」

ミヒャエル・エンデ

『はてしない物語』
上田真而子・佐藤真理子訳／岩波書店

本を開き、昨日夢中になって読み進めたその先からもう一度物語の世界に飛び込むのは至福の瞬間です。そのときに、この小説の主人公バスチアンと同じことを考えた人は多いのではないでしょうか？　読む端から物語が立ちあがってくるのですから、不思議な気持ちになります。かくいう私も、“今パッと本を開いたら、どうなるんだろう？”と何度も考え、実際に試してみたものでした。そしてこの作品ほど、現実世界と物語世界を直結させるしかけがたっぷりの小説はありません。世界図書・著作権デーに。　(S)

4/24

私は天井に止まる蠅を、
一時間も面白く眺めてゐた。
床にさした山吹の花を、
終日倦きずに眺めてゐた。
実につまらないこと、
平凡無味なくだらないことが、
すべて興味や詩情を誘惑する。

萩原朔太郎

「病床生活からの一発見」／『ひきこもり図書館』
毎日新聞出版

病気をして長く寝込んだときの体験を書いた随筆です。「健康の時、私は絶えず退屈している」「ところが病気をしてから、この不断の退屈感が消えてしまった。人は私に問うた。二ヶ月も病床にいたら、どんなに退屈で困ったろうと。しかるに私は反対だった。病気中、私は少しも退屈を知らなかった」。それはなぜか？　ものの見方が変わったからです。新幹線では見逃す風景に、鈍行で気づくように、日常の細部に驚きと深みと輝きを感じるようになったのです。山吹の花が咲く4月に。（K）

4/25

私ほど境遇の奴隷と呼ぶに
ふさわしい者は、
ほかにいないでしょう。
いろいろな力に
押しまくられ、
最も抵抗の少ない方向に
流されてきたのです。

小泉八雲

「ヘンリー・ワトキンへの手紙」／『日本の心』解説

遠田勝訳／講談社学術文庫

1890年4月25日に書かれた手紙の一節です。小泉八雲（ラフカディオ・ハーン）は、レフカダ島という地中海の小さな島の生まれです。アイルランド人のお父さんが島にやってきて、お母さんと恋に落ちたのです。でも、アイルランドに行ったお母さんは、慣れない土地で精神を病んで、ひとりで島に戻ってしまいます。お父さんも別の女性と結婚し、八雲は大叔母にひきとられます。でも、その大叔母が若い投資家に入れあげて破算。17歳でスラム街をさまようことに。波瀾万丈の人生です。　（K）

4／26

つねに信条通り正しく行動するのに

成功しなくとも、胸を悪くしたり

落胆したり厭になったりするな。

失敗したらまたそれにもどって行け。

そして大体において自分の行動が人間として

ふさわしいものならそれで満足し、

きみが再びもどって行ってやろうとする

事柄を愛せよ。

マルクス・アウレーリウス

『自省録』

神谷美恵子訳／岩波文庫

アウレーリウスは2世紀に生きた人物で、哲学者であると同時にローマ皇帝でもありました。公務を果たしながら自分のために書き留めていた言葉をまとめたのが、この本です。自分の“信条通り正しく行動”しようと考えすぎると、そのこと自体に縛られて判断を誤ることすらあり、思うようにいかないという気持ちばかりが積み重なるものです。そんな時に、だいたい合っていればそれでいいのだ、と言われると、気分は一気に軽くなります。アウレーリウスの誕生日に。 (S)

君のおぼえた小さな技術をいつくしみ、その中にやすらえ。

マルクス・アウレーリウス

『自省録』

神谷美恵子訳／岩波文庫

アウレーリウスの言葉をもう1つ。これは、幸福を感じるための1つの方法なのかもしれません。誰でも一定期間以上仕事なり創作なりを続ければ、いつのまにか技術が身につくものです。でも自分ではそのことに気づいていなかったり、過小評価していたり。でも、その小さな技術を大切にすることに専心できさえすれば、心安らかになれるのかもしれません。過去の栄光を懐かしんだり、未熟者にすぎないと思い詰めたりすることもなく、手もとと足もとだけを見つめられるようになるような気がします。 (S)

4/28

名声は川のようなものであって、
軽くてふくらんだものを浮かべ、
重くてがっしりしたものを沈める。

フランシス・ベーコン

『ベーコン随想集』

渡辺義雄訳／岩波文庫

名声というのは、不思議なものです。生前は認められなかった作家や画家や音楽家は、数知れません。一方で、その時代に大人気だった有名人たちが、今ではもうまったく知られていなかったりします。たとえば、『赤と黒』の作家のスタンダールが、「なんであんな作家が大人気なんだ」と文句を言っている作家は、今では誰も知りません。すぐに有名になってもてはやされるのは、じつはたいしたことのないものが多く、凄いものは評価されるのに時間がかかるようです。今日、重たい「象の日」。（K）

4/29

閉じた窓越しに
外を見ているから、
なぜ通行人が奇妙な動きを
しているのか説明できない
——姉さんの話から
連想するのは
そういう状況だね。
そこからだと、
外でどんな嵐が

吹き荒れているか
分からないし、
嵐のなかで通行人は
ただ必死に立っている
だけかもしれない、
ということも
分からないんだよ

ウィトゲンシュタイン

『はじめてのウィトゲンシュタイン』

古田徹也／NHK出版

自分なら決してしないことを、他人がしているとき、人は怪訝に思いますし、ときには腹が立ちます。たとえば、映画館でスマホをずっといじっているとか。でも、もしかすると、聴覚障害のある人が字幕を見るアプリを使っているのかもしれません。それなのに、マナー違反だと怒ってしまったら……。人が何かおかしなことをしているとき、「もしかすると、この人には何か事情があるのかも」と思うことができたら、ずいぶんちがうはず。今日はウィトゲンシュタインの命日。（K）

僕は信じる。反対こそ、
人生で唯一つ立派なことだと。
反対こそ、
生きてることだ。
反対こそ、
じぶんをつかむことだ。

金子光晴

「反対」／『金子光晴詩集』
清岡卓行編／岩波文庫

反対することが命にかかわるような政治体制の国にでも住んでいない限り、陳腐に響くかもしれません（もちろん金子光晴がこの作品を書いたのは1917年ごろのことですから、安穏と反対できた時代ではありませんが）。それでも、押しよせる情報と感情に身をゆだねるのが楽な時、自分の足元と目の前の状況を再確認する契機にはなりそうです。だれにも正解がわからないような状況に対処する時にもまた、思考の空回りを一時停止させるよすがになるのでは。五月病の兆しを感じるかもしれないこの時期に。　(S)

5月

5/1

なあ　太陽くん
じっさいくだらねえと
思わんかい
こんないい一日を
まるまる経営者《おやじ》に
くれちまうのがさ。

ジャック・プレヴェール

「なくした時間」／『プレヴェール詩集』

小笠原豊樹訳／岩波文庫

シャンソンの歌詞(「枯葉」)、映画の脚本(『天井桟敷の人々』)、児童文学などさまざまな分野で知られる詩人の作品です。すぐに、英国のバンド、ザ・スミスの曲にあった「人生の大切な時間を、ぼくが生きてても死んでても気にしない連中にあげるのはなぜ？」という歌詞を思い出します。同時に、人類学者グレーバーが、誰のためにもならない“どうでもいい仕事”について書いた書籍『ブルシット・ジョブ』(岩波書店)のことも。仕事のことを考えるメーデーに。　(S)

5/2

自由に退くことができない仕事にも、近づくべきではない。

セネカ

「心の安定について」／『人生の短さについて 他２篇』

中澤務訳／光文社古典新訳文庫

仕事に関する言葉をもう1つ。古代ローマの哲学者が、いわば後輩のような関係にある青年に向けて書いたものです。いつのまにか巻き込まれてしまい、退くに退けないというのはよくあることですが、セネカは「やればやるほど際限がなくなっていき、決めたところで終わらない仕事」には手を出すべきではないと言います。同様に、1つの仕事が大量の雑用を生み出すようなものも。心していてもなかなか避けられないものですが。また、仕事を依頼する側としても忘れたくない言葉です。　(S)

5/3

ひとの生は十分に長い。

セネカ

「人生の短さについて」／『人生の短さについて 他２篇』

中澤務訳／光文社古典新訳文庫

セネカからもう１つ。年齢を重ねれば重ねるほど時の流れは速く感じられるようになっていきます。しかしここで説かれているのは感覚のことではなく、ほんとうは十分に長いはずの人生が短く感じられるとすれば、それは浪費しているからにほかならない、という単純明快な話です。この仕事（あるいは遊び）は、人生の浪費では？ と自問することを忘れたくありません。と同時に、ならば人生で効率を追求すれば良いのかといえば、それもまた浪費になりかねないという事実も。

（S）

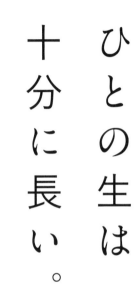

5/4

精神には、息抜きを与える必要がある。

セネカ

「心の安定について」／『人生の短さについて 他2篇』

中澤務訳／光文社古典新訳文庫

ほんとうは十分に長い人生をあっという間に浪費しないためには、やればやるほど深みにはまったり、だれのためにもならないような仕事からはできる限り身を遠ざける。そのうえで、“これこそ自分のやるべきこと”と感じる仕事と向き合っていくために必要なのは、“息抜き”すなわち“休息”であるという、これまた単純明快な話です。“1日24時間では足りない”と感じるような時にこそ、無理矢理に仕事を止める。これもまた、心していてもなかなか実行できないことではありますが。 (S)

5/5

真実ってやつは
いつだって単純なんだろうと思う。
絶対そうに違いない。
子供にもわかるほど
単純でなくちゃならないんだ。
子供の時分に覚えないと手遅れだからね。
理屈で考えるようになると
もう遅すぎるんだ

コーマック・マッカーシー

『血と暴力の国』
黒原敏行訳／扶桑社文庫

1980年のテキサス州南部、麻薬取引がこじれた末の銃撃戦。偶然、直後の現場に居あわせた主人公は大金を持ち去り、そこから凄惨な逃亡劇がはじまります。この言葉は、事件を捜査する老保安官の独白。世の中が変わってしまったこと、つまり真実が単純ではなくなった世界を嘆きながら、最善を尽くそうとしている人物です。そして私たちは今、真実とは本来単純なものという感覚が完全に失われた時こそが問題で、実はすでにそういう世界が訪れているのかも、という感覚を拭いきれません。こどもの日に。 (S)

5/6

さあ友よ、
明日を悲しむのはやめよう。
人生のこの一瞬を恵みと思おう。
明日この古びた宿を後にすれば、
われらは七千年前の
旅人たちの仲間になるのだ。

オマル・ハイヤーム

『ルバーイヤート』

岡田恵美子編訳／平凡社ライブラリー

ハイヤームは、11世紀半ばから12世紀はじめに生きたペルシャ（現在のイラン）の人です。数学や天文学の分野で高名な学者でしたが、19世紀になって詩が英訳されたことで、詩人として世界的に知られるようになりました。この作品では、今この瞬間をありがたく味わおうという呼びかけが、古びた宿（現世）を立ち去れば7千年前の旅人たちの仲間になれる、という言葉と対になっているところが、不思議なと心を軽くしてくれます。5月の重みを感じるかもしれないこの時期に。

（S）

5/7

人々の同情を私はこの世で何よりも大切に思っている。

チャイコフスキー

『新チャイコフスキー考　没後100年によせて』

森田稔／日本放送出版協会

チャイコフスキーは今でこそ大作曲家ですが、最初はなかなか認められず、尊敬する作曲家からも自信作を「何の値打ちもなく、稚拙で、破り捨てたほうがいい」と酷評されてしまいます。お金にも苦労し、結婚にも失敗し、自殺未遂もしています。それでも生きていけたのは、周囲の同情があったからこそ。同情はよくないという人もいますが、同情がなければ生きていけない人もいます。私もそうでした。同情は人間のとても気高い真理だと思います。今日はチャイコフスキーの誕生日。（K）

毎日、自己の
きらいなことを
二つずつ行なうのは
魂のために
よいことだ。

サマセット・モーム

『月と六ペンス』
行方昭夫訳／岩波文庫

今のままだと、一生やらないことって、けっこうたくさんあるのではないかと思います。たとえば、水がこわい人はもうずっと泳がないとか、カツオを生姜で食べることにしている人は、ニンニクで食べないとか。それをイヤイヤでもやってみると、思いがけないほど、心のこりがとれることがあります。ずっと動かしていなかった肩を回すように。嫌いなことをあえてやるって、おかしなことでもありますが、ぜひお試しを。今日は『月と六ペンス』のモデルとなった画家ゴーギャンの命日。（K）

5/9

望んで
かなうことなら、
努力に値しない。

ゲーテ

『NHKラジオ深夜便 絶望名言』

頭木弘樹訳／飛鳥新社

望めばかなうと思うとき、人は努力します。望んでもかなわないのなら、努力する気は起きないでしょう。しかしゲーテは、「望んでかなうことなら、努力に値しない」と言っています。そういう人だからこそ、大ゲーテと呼ばれるほどのたくさんの業績を残せたのかもしれません。20年もの歳月をかけて、1810年5月9日に書き上げた『色彩論』は、当時の科学者たちから嘲笑され、今でも高く評価されているとは言えません。でもゲーテはその努力をムダだったとは思わなかったでしょう。　（K）

5/10

どうして俺は今まで
この高い空を見なかったんだろう？
今やっとこれに気がついたのは、
じつになんという幸福だろう。
そうだ！
この無限の空以外のものは、みんな空《くう》だ、
みんな偽りだ。

トルストイ

『戦争と平和』1

藤沼貴訳／岩波文庫

今日は「日本気象協会創立記念日」なので、空にまつわる名言を。『戦争と平和』の中の有名なシーン。アンドレイが戦場で傷つき、大地に倒れます。目に見えるのは空だけ。そして、こう思うのです。今まで自分が必死になっていた戦いや生き方のむなしさを知ります。ずっとあこがれていたナポレオンに声をかけてもらっても、なんの感動もありません。この気持ち、わかる人も多いのでは。大いなる自然を前にすると、実社会でのいろんな悩みが、どうでもよくなる瞬間があるものです。（K）

5/11

われわれの悩みはすべて、
ひとりでいられないことから
もたらされる。

ラ・ブリュイエール

『人さまざま』
関根秀雄訳／仏蘭西文庫

シンプルな言葉ですが、真実を突いています。ひとりでケンカはできないという言葉がありますが、誰かといるからもめるわけで、他人との関わりあいの中から多くの悩みが生まれます。恋愛や結婚や家庭生活はもちろんのことですが、会社でのいちばんの悩みも、仕事のことより、人間関係であることのほうが多いようです。かといって、ずっとひとりでいられるほど人間は強くありません。ラ・ブリュイエールは17世紀のフランスの作家。今日はその命日。この本の原題は『カラクテール』。（K）

5／12

わたしの悲しみは説明できないが、
それでも語ることはできる。
「たえがたい」という言葉を
言語がわたしに提供してくれる
という事実そのものが、
ただちにいくぶんかの
耐性をもたらすのである。

ロラン・バルト

『ロラン・バルト 喪の日記』

石川美子訳／みすず書房

暑いときや寒いとき、私たちは「暑いね！」「寒いね！」と言います。それで涼しくなったり暖かくなったりするわけではありませんが、言わずにいられません。痛いときに「痛い！」と言えなかったら、もっとつらいでしょう。愚痴はよくないという人もいますが、やはりとても大切だと思います。ロラン・バルトは最愛の母親を亡くした悲しみから、日記を書き始めました。それをまとめたものが『喪の日記』です。母の日の起源となったアンナ・ジャービスの追悼会が行われた5月12日に。

（K）

5/13

弱虫は、幸福をさえ
おそれるものです。
綿で怪我をするんです。
幸福に傷つけられる事も
あるんです。

太宰治

『NHKラジオ深夜便 絶望名言』
飛鳥新社

代表作『人間失格』の一節です。『人間失格』は1948年の3月から書き始められ5月12日に脱稿しました。太宰治はその1カ月後の6月13日に玉川上水で入水自殺します。主人公は「そのひとに寄り添うと」「恐怖からも不安からも、離れる事が出来る」女性と出会うのですが、翌朝、「傷つけられないうちに、早く、このまま、わかれたいとあせり」ます。なぜかというと、こういう気持ちからなのです。「綿で怪我をするんです」というのは太宰治でなければなかなか書けない名言です。（K）

「早く歩きすぎた」と
インディオは話した。
「だから、われわれの魂が
追いつくまで、
待たなければならなかった」

ミヒャエル・エンデ

『エンデのメモ箱』
田村都志夫訳／岩波書店

ある学術チームが中米奥地を調査すべく、先住民をポーターとして雇ったのだそうです。しばらくは順調に進みましたが、突如、ポーターたちが一歩も先に進もうとしなくなります。どう働きかけてもムダで、そのまま2日が過ぎます。すると彼らは前ぶれなく立ち上がり、再び歩き始めました。この言葉は、彼らとの信頼関係がある程度築けたのちに引き出せた答えだと言います。予定や目標をこなすこと以上に大切なものがあると感じることは、たしかにあります。息切れのする5月のこの時期に。（S）

5/15

屈折のない心、
含《がん》羞《しゅう》のない心、
これは
我慢ならない。

伊丹十三

『ヨーロッパ退屈日記』
新潮文庫

伊丹十三は20代の頃、俳優としてヨーロッパに長期滞在しました。1961年のことですから、まぎれもなく特権的な体験です。それを“退屈日記”と銘打つ高踏趣味には辟易する人もいるでしょう。ところが実はきわめて誠実な書きぶりで、鼻につくところは多々あれど、あの人がこんなことを、と感じる箇所もおなじくらいあります。その1つがこれ。“退屈”なんて言っていても、屈託もだいぶあったのだな、と人間としての仲間意識が勝手に芽生えてきます。著者の誕生日に。　(S)

5／16

「どうしてみんな、ぼくの旅のことを、
そっとしておいてくれないんだろう!?
わかってないんだなあ。無理に語らせられると、
ぺらぺらしゃべったが最後、
ばらばらになって消えてしまうんだ。
それでおしまいさ。
その旅のことを思い出したくても、
自分のしゃべった声しか、
聞こえなくなっちまう」

トーベ・ヤンソン

『ムーミン谷の名言集』
渡部翠訳／講談社文庫

気持ちとか匂いとか絵とか、言葉で表せないものを、無理に言葉にすると、自分の中にも言葉にできたことしか残らず、元々の記憶は消えてしまいます。この現象を「言語隠蔽」と言います。たとえば、事件の犯人の顔を目撃した人に、その顔を言葉で説明してもらうと、かえって顔写真の中から犯人の顔を選べなくなります。だから、大切な思い出とか気持ちとかは、簡単に言葉にしないほうがいいのです。言葉にできなかったことが、自分の中からも消えてしまうからです。今日は旅の日。（K）

5/17

自分に心がないことを
承知していたから、
何に対しても
残酷だったり
不親切だったり
しないよう、
すごく気をつけていた。

ライマン・フランク・ボーム

『オズの魔法使い』
柴田元幸訳／角川文庫

少女ドロシーが、愛犬のトトと共に竜巻に吸い上げられてオズの国まで飛ばされるという、おなじみの物語です。冒険の仲間は、脳みそが欲しいかかし、心が欲しいブリキの木こり、そして勇気が欲しいライオン。自分には“心がないから、すごく用心しなくちゃいけません”と木こりは考えています。そう思う彼はすでにして、誰よりもやさしいのです。生きていくうえでは、誰でもこういう用心が必要なのかも、と考えさせられます。初版が刊行されたのは、この日なのだそうです。

(S)

5／18

沈黙には二つあります。
一つは言葉が全く
語られない時のものです。
もう一つは、おそらくは
奔流のような言葉が
語られている時の
ものです。

ハロルド・ピンター

『ハロルド・ピンター全集』1
喜志哲雄訳／新潮社

言葉は何かを伝えるためのものです。たとえば自分の気持ちを伝えるために言葉にします。しかし、実際には、それとはまったく逆の使い方もしているのではないでしょうか？　自分の本当の気持ちを隠すために、それとはちがう言葉をたくさんしゃべっていることもあるのではないでしょうか。どうでもいい言葉のレンガを積み上げて壁を作って、本心を隠すために。それは言葉のない沈黙以上に、よりわかりにくく、深い沈黙なのかもしれません。今日は言葉を大切にする「言葉の日」です。　（K）

5/19

ああ寒いほど
ひとりぼっちだ！

井伏鱒二

『山椒魚・本日休診』
講談社文庫

1929年5月に雑誌に発表された短編小説『山椒魚』に出てくる言葉。谷川の岩屋の中で過ごすうちに、成長しすぎて外に出られなくなってしまった山椒魚が、あまりの孤独に、ついこう漏らすのです。私は入院して孤独だったとき、この言葉にずいぶんなぐさめられました。孤独なときには、明るい励ましの言葉よりも、むしろ孤独な気持ちを深く描いてくれている言葉のほうが支えになりました。暗い道をいっしょに歩いてくれる道連れに出会うようなものです。ひとりとは大ちがいです。（K）

5/20

けっしてことばに
できない思いが、
ここにあると指すのが、
ことばだ

長田弘

『詩ふたつ』

クレヨンハウス

2010年5月20日に出版された、画家クリムトの絵が対になった愛蔵版詩画集。この「ことば」に関する名言は、とても大切なものだと思います。これこそが、「文学の言葉」の定義ではないでしょうか。言葉にできることとできないことが、この世の中にはあります。たとえば美しい風景にしても、言葉で完全に言い表すことはできません。誰かを好きな気持ちも言葉では言い尽くせません。それでも、言葉にできないことを、なんとか言葉で指し示そうとするのが、文学でしょう。　(K)

5/21

非常に小さい集団で何か目的があって
それがうまくいって、
良かったなっていう経験を
子どものときから大人になるまでに
しておいた方がいいと思うんです。
それが学校教育なんかに
欲しくてしょうがないんですよ。

高畑勲

『映画を作りながら考えたことⅡ』
徳間書店

アニメーション映画監督の高畑勲が、『平成狸合戦ぽんぽこ』(1994)を完成させた後に、作家の池澤夏樹との対談で漏らした言葉です。こういう考え方は“後ろ向きで、失われたものだと思ってますけど、しかしある局面ではこれからも必ず出てくるわけだし”との補足もされています。こうした訓練を欠いた自分自身のこらえ性のなさに照らし合わせてみても、深く頷けます。そして、異文化や異なる宗教が混在している集団や社会ほど、この訓練に基づく対話が必要となる場所はありません。対話と発展のための世界文化多様性デーに。 (S)

5/22

人間にとっては、何かをすることのほうが何もしないでいることより、ずっと容易なんだ。

ル＝グイン

『さいはての島へ ゲド戦記Ⅲ』

清水真砂子訳／岩波書店

シリーズ1作目で成長を描かれたハイタカ（ゲド）が大賢人として登場し、若き王子アレンと旅をします。これは、奴隷商人に囚われたところを救出してくれた大賢人に対して、なぜ奴隷商人たちを鎖につながなかったのかと問うアレンへの答えです。全体の均衡を無視し、いたずらに“人間の運命をいじりまわす”べきではないのだ、と。しかしこれは仕事一般にも言えることで、余計なことをしないという仕事の仕方をするのは難しいことです。ちなみに今日は、すべき／すべきでないの境界を考える、国際生物多様性の日です。 (S)

5/23

あたりまえのことというのが曲者《くせもの》なんだよ。
わかり切ったことのように考え、
それで通っていることを、
どこまでも追っかけて考えてゆくと、
もうわかり切ったことだなんて、
言っていられないようなことに
ぶつかるんだね。

吉野源三郎

『君たちはどう生きるか』
岩波文庫

『君たちはどう生きるか』は軍国主義の閉塞感が高まる中で書かれ、1937年に出版された本。2017年に羽賀翔一が漫画化しマガジンハウスから出版され、260万部以上の大ベストセラーに。宮崎駿が制作中のアニメ映画のタイトルを『君たちはどう生きるか』にすることも発表されました。あたりまえとされていることを、あらためて考えてみると、たくさんの新しい謎にぶつかるというのは、科学でも芸術でも政治でも、すべてに通じる大切な心得と言えるでしょう。吉野源三郎の命日に。（K）

5／24

人間のもっとも自然な性向は、
自分を破壊し、
自分と一緒に
みんなも道ずれにしようとすることだ。
たんに正常であるだけのために、
どれほど並外れた努力が
必要となることか！

カミュ

『カミュの手帖 1935 - 1959』
大久保敏彦訳／新潮社

カミュは1935年5月から1960年に亡くなるまで大学ノートに日記をつけていました。『カミュの手帖』として出版されています。その中の言葉。人類の歴史を見れば、戦争などの悲惨な出来事がたくさんあります。個人レベルでも、たとえばお酒やギャンブルに溺れ、家族まで巻き込んで破滅してしまうこともあります。正常であることは、あたりまえのことではなく、大変な努力を要します。この言葉に続けて「なによりも先に、自分自身の主人となることだ」とカミュは言っています。

（K）

5/25

夜は生きているのが
最もつらい時間で、
午前四時は
私の秘密をすべて
知っているの。

ポピー・Z・ブライト

『ロスト・ソウルズ』

Dell

深夜のラジオ放送は、じつは午前4時台がいちばん聴いている人が多いのだそうです。午前4時台は、何か特別な時間なのかもしれません。私はその時間に、NHK「ラジオ深夜便」で『絶望名言』というコーナーに出ているのですが、絶望を語ることが許されるのも、その時間帯だからかもしれません。聴いてくださった方の中に、「夜の底の底の時間」という表現をしている人もいました。ポピー・Z・ブライトはアメリカの作家で『ロスト・ソウルズ』が初長編。今日は彼女の誕生日。

(K)

[Poppy Z. Brite, *Lost Souls*]

5/26

彼は殆《ほとん》ど本能的に「自分は自分が思っている程《ほど》、自分ではないこと」を知っていた。

中島敦

『光と風と夢』

青空文庫

性格診断心理テストで、当人が受けた結果と、周囲の人がその人の性格について答えた結果を比較すると、真逆になる場合さえあるそうです。この場合、周囲が誤解しているのか、それとも当人が自分をわかっていないのか？　私は小学校のとき７回転校しましたが、そのたびに性格が大きく変わりました。そうすると、本当の自分とは何なのか？　ずっと自分でいるので、自分のことはよくわかっている気になってしまいますが、どうなのでしょう。『文學界』1942年5月号が初出の小説。　（K）

5/27

生きとし
生けるもの、
いづれか歌を
よまざりける。

紀貫之

『古今和歌集』

生きている者はみな、歌を詠む、という意味です。たしかに、昔の人はよく歌を詠みました。明治維新の戦いで敗れて敗走している最中にたくさんの人が歌を詠んでいます。大正時代の人でも、自殺するときに歌を残している人がたくさんいます。今の感覚から言うと、そういう大変なときや絶望したときには、歌どころではないという感じですが。大変なとき、絶望したとき、自分の気持ちを歌に詠むという習慣を失った私たちは、もしかすると、ずいぶんつらいのかもしれません。今日は「百人一首の日」。　(K)

5/28

仔牛の肉のかたまりを載せて
いつまでも舗道《ほどう》を走りつづけるとしたら、
すべての日常がそれだけで
あけくれるとしたら、
なんという徒労《とろう》だろう、
と僕は考え、低い声で笑った。
ああ、なんという奇妙で
くすくす笑いをさそう
徒労な日常だろう。

大江健三郎

「運搬」／『見るまえに跳べ』

新潮文庫

ナチスの拷問で、棒杭を地面に打ちつけさせ、抜かせ、また打ちつけさせ抜かせと、くり返させるというのがあったそうです。痛みを与える拷問に耐えた人でも、これには耐えられなかったとか。ギリシア神話のシーシュポスも、岩を山頂まで持ち上げると、また転がり落ちるということを永遠にくり返す神罰を与えられます。徒労ほど、つらいものはないのかもしれません。この小説では、密売された仔牛の肉を自転車の荷台にくくりつけて運搬する仕事が徒労へと……。5月は「自転車月間」。（K）

5/29

用事がなければ
どこへも
行ってはいけない
と云うわけはない。

内田百閒

『第一阿房列車』
新潮文庫

内田百閒といえば漱石の門下生であること、そして現実と幻想のあわいに広がる妖しい作品世界がすぐに思い浮かびます。しかしこの言葉は、ただ列車に乗るためだけの旅を記録した紀行文の冒頭にあらわれます。用事がないからこそ、こなすべき仕事と向き合うような真剣さを呼び込んでしまうという可笑しみもありますが、それでもやはり用事／目的のない旅こそ、理想の旅のかたちの1つであることはたしかでしょう。百閒先生の誕生日に。なお、このとぼけた味わいを見事にマンガ化した一條裕子による作品もあります。 (S)

5/30

共感とは、ギリシャ人の考えでは、
柔和さではなく強さの源だった。
他者に自分を見出し、
その苦境に寄り添うほど、
あなたは忍耐や知恵、狡猾さ、
決断力を活かせるようになるのだ。

クリストファー・マクドゥーガル

『ナチュラル・ボーン・ヒーローズ』

近藤隆文訳／NHK出版

“英雄的行動”の意味とそれを支える身体のあり方を探りながら、人間の体に宿る“野性”を追及するこの大著の冒頭に登場する言葉。ここでは、ギリシャ人の創り出した英雄の理想が語られます。“ヒーロー”の語源は、ギリシャ語の“ヘーロース”。その多くは“半神半人”、つまり不完全な存在であり、人間の部分(弱さ)を気にかけることで、神の部分(強さ)が引き出される。決して、向こう見ずな勇気や“悪党を全滅”させる力を持つ者が“英雄”ではないわけです。野山を歩き回りたくなる初夏に。 (S)

5/31

幸せは
べつの場所でなく
この場所……
べつの時でなくこの時、

W・ホイットマン

『草の葉 初版』

富山英俊訳／みすず書房

1855年に自費出版されたこの詩集は、その後33年間にわたって改訂され続けました。その間に初版の5倍近くの分量にまで膨れ上がったそうです。この本ではあえて、より瑞々しくよりコンパクトな初版が訳されています。TVドラマにも登場するほどポピュラーな詩集ですが、不思議な味わいで、決してわかりやすくはありません。それでも、こういうストレートに胸に落ちたり、あまりに剝きだしに見えて驚かされたりするような言葉には、しばしば出会えます。ホイットマンの誕生日に。 (S)

6月

6／1

子供は神の祝福である、
子供は喜びである、
などというのはみな嘘だ。
それは昔の話で、
いまではそんなことは
ぜんぜん当てはまらない。
子供は苦しみである。
ただそれだけのことである。

トルストイ

『トルストイの言葉』

小沼文彦訳／彌生書房

『クロイツェル・ソナタ』の一節。トルストイには13人の子どもがありました。『アンナ・カレーニナ』にはこういう描写も。「わたしはほっとする暇もなく、やれ妊娠だ、やれ育児だといっているうちに、永久におこりっぽい不平屋になってしまって、自分も苦しみ、他人も苦しめ、良人《おっと》にもきらわれて生涯を送ることになるのだわ」。トルストイ家では、妻のほうに息子がつき、トルストイのほうに娘がついて、家族どうしで反目し合っていました。今日は「国際親の日・こどもの日」。　（K）

6/2

悟りといふ事は
如何なる場合にも
平気で死ぬる事かと
思つて居たのは間違ひで、
悟りといふ事は
如何なる場合にも平気で
生きて居る事であつた。

正岡子規

『病牀六尺』
青空文庫

『病牀六尺』は死の2日前まで書き続けた随筆集です。この言葉は明治35年6月2日のもの。前向きな名言として紹介されることが多いですが、当時、子規はとても痛みに苦しんでいて、死を願うほどでした。つまり、生きていることのほうが、つらい状態だったのです。普通は、死ぬことのほうが怖いから、それに平気になることが悟りなわけですが、生きる苦しみがあまりに強くて、死がむしろ救いに思えるようなときには、平気で生きることのほうが、むしろ悟りということかもしれません。（K）

6/3

生きることは、
たえずわき道に
それていくことだ。
本当はどこに向かうはず
だったのか、
振り返ってみることさえ
許されない。

フランツ・カフカ

『絶望名人カフカの人生論』

頭木弘樹訳／新潮文庫

人生のわき道にそれてしまった、と感じたことはないでしょうか？私は二十歳で難病になったとき、そう感じました。自分が歩む人生は、こんなはずではない。これは本道ではない。わき道にそれてしまったのだ。それも細くて嫌なわき道に。なんとか本来の太い道に戻らなければと思いました。しかし、戻れませんでした。そのとき、この言葉にとても救われました。「生きることは、たえずわき道にそれていくことだ」とすれば、それはもう仕方ないではないかと。今日はカフカの命日。（K）

6／4

こういった小説が
どんなふうに展開するか
だれよりもよく知っていたし、
こうした森からの逃げ道を
見つけだせる人間がいるとするなら、
自分をおいてほかにはいなかった。

ジョー・ヒル

「年間ホラー傑作選」／『20世紀の幽霊たち』

白石朗他訳／小学館文庫

物語好きな人間であれば、現実世界を生きながら「これはあの物語のあの場面だ！」と感じることがままあります。先の展開がわかる気がすることもありますが、それが正しいかどうかはわかりません。だからこそ、現実世界も物語世界も面白くてやめられないのだと思います。この本は、怪奇短編小説好きのツボを押さえまくっているたまらない作品集です。本来なんの説明も加えてはならない種類の小説なのですが、物語に没頭すること＝現実逃避ではないことを記しておきたく、作品に対する無礼を働きました。作者の誕生日に。　(S)

6/5

人間が地球上に占めている場所などごくわずかだ。

アントワーヌ・ド・サン＝テグジュペリ

「星の王子さま」／『星の王子さまの美しい物語』

アルバン・スリジエ、デルフィーヌ・ラクロワ編／田久保麻理訳／飛鳥新社

「大切なものは、目に見えない」などの言葉で有名な物語ですが、読んでみると一般的にイメージされているほど素朴な価値や考え方に貫かれているわけではないことがわかります。この言葉もまた、人間には謙虚さが必要だという単純な話のようでいて、実は、少し落ち着かない気持ちにさせられる辛辣な棘が含まれているようです。たとえば、“環境保護”とは人間の利益追求の手段そのものなのでは？ というような……。ちなみにこの本は、未発表のスケッチなどをたっぷり収録した愛蔵版です。世界環境デーに。 (S)

6/6

自分の内部が
奇妙に拡大されて行くのに気づいて
われながら驚いた。
飛び立ちたいような一種の不安、
若々しく遠い国をはげしく憧れる気持ち、
そういう感情があまりにも生きいきと、
あまりにも新鮮によみがえってきた。

トーマス・マン

「ヴェニスに死す」／『トニオ・クレーゲル ヴェニスに死す』

高橋義孝訳／新潮文庫

執筆に行き詰まった大作家が、ふと旅に出かけたくなっている自分に気づく場面からの一節。旅のきっかけはいろいろありますが、日常生活の中でこういう感覚が発生したらもうおしまい、どうしても“遠い国”に足を伸ばさないではおれません。読んだだけでそういう気分にさせられる、危険なくだりです。この後、作家はコレラの蔓延するヴェニスへと赴き、そこで見かけた美少年をなりふり構わず追いかけ回すことになります。旅には行きっぱなしの危険もつきまとうわけです。マンの誕生日に。 (S)

6／7

苦労が人間をけだかくするというのは、事実に反する。幸福が、時にはそうすることはあるが、苦労はたいてい、人間をけちに意地悪くするものなのだ。

サマセット・モーム

『月と六ペンス』

行方昭夫訳／岩波文庫

「若い時の苦労は買ってでもせよ」という言葉があるように、苦労には人を成長させる面があります。ただし、それはその苦労を克服できたときの話。越えられる山もあれば越えられない山もあるように、乗り越えられない苦労だってあります。その場合は、人はむしろ苦労によってつぶされてしまいます。卑屈になってしまったり、意地悪になってしまったり……。モームはそこを鋭く観察しています。『月と六ペンス』はゴーギャンをモデルにした画家の物語。今日はゴーギャンの誕生日。 （K）

6/8

人一《いち》日《にち》一《いち》夜《や》を経《ふ》るにだに、
一日一夜を経るにだに、
八《はち》億《おく》四《し》千《せん》の思ひあり。

観阿弥

『謡曲 求塚 解註謡曲全集』

やまとうたeブックス

一日一夜で人には八億四千もの思いがあるというのです。演劇『夜中に起きているのは』のパンフレットで山田太一は「ふと夜中に、自分ではどうしようもないものについての不安で目をあけている」と書いています。どうしようもないことなら考えても仕方ないわけですが、それでも考えてしまうのが人間ですね。どうしてこんな親のもとに生まれたのかとか、どうしてこんな容姿に生まれたのかとか……。不眠症の人にはすごく思い当たる言葉でしょう。今日は能を大成した観阿弥の命日。 （K）

6/9

まだあれ。これ。寝ていられないようだ。

開高健

『叫びと囁き 開高健全ノンフィクションⅡ 革命と戦争』
文藝春秋

1960年から73年までに書かれた“海外レポート”をまとめた本です。中国では毛沢東に大歓待され(それは“三年飢饉”の末期にあたり、宴会場の外には残飯を狙う人々が群がっていたとあとで知ります)、パリの五月革命に居あわせ、ヴェトナムの最前線で命を失いかけ、と強烈な密度で見聞が積み上がっていきます。そのあとがきの最後の3行がこの言葉。まだまだ書いたり見たりしきれなかったことがあるというのです。半年の区切りに、ちょっと仕切り直しの気持ちで。 (S)

6/10

成功した1位の人にインタビューすれば、
がんばればできるというのは当たり前ですよ。
だけどそれは一般論にはならない。
2位の人に聞いたら
全然違う答えが返ってくるでしょ。
現実には、さらにその下の人が多いわけです。
失敗した人に取材なんてしませんからね

山田太一

「昭和40年男」2012年10月号
クレタパブリッシング

世の中には成功談があふれています。みんな、成功した人がどうやって成功したかを知りたがります。たしかに参考になることもあるでしょう。しかし、たとえば100人に1人しか夢がかなわなかったとして、その1人に話を聞けば、「あきらめなければ、夢は必ずかなう」「頑張ればできないことはない」ということになります。希望に満ちた言葉ですが、同時に、とても危険な言葉でもあります。本当は他の99人のほうにも話を聞くべきでしょう。今日は自分の夢について考える「夢の日」です。（K）

6/11

これが一生か、一生がこれか、ああ嫌だ嫌だ

樋口一葉

『にごりえ』
青空文庫

同じ樋口一葉の『十三夜』でも、主人公を乗せた人力車の車夫が、突然、車を引くのが嫌になったと言いだします。「何が楽しみに轅棒《かじぼう》をにぎって、何が望みに牛馬《うしうま》の真似をする、銭を貰えたら嬉しいか、酒が呑まれたら愉快なか、考えれば何も彼も悉皆《しっかい》厭やで、お客様を乗せようが空車《から》の時だろうが嫌やとなると用捨なく嫌やに成《なり》まする」。みなさんもこういう気持ちになることはありませんか？　私はあります。そういうとき、こういう言葉があるのがありがたいです。今日は「入梅」の日。（K）

6/12

ぼくのうちには、
まるで黒い井戸のように深い、
あの涯てしない
悲しみだけがあって、
それがいたるところに
虚無を示していた。

ル・クレジオ

『物質的恍惚』
豊崎光一訳／岩波文庫

悲しいことはないほうがいいですし、自分の心のうちに虚無なんて、ないほうがいいに決まっています。しかし、悲しかったり、むなしかったり、苦しかったりするからこそ、人は何かを生み出そうとするのではないでしょうか。それは文学や絵画などの芸術だけでなく、人のすべての行いの原動力だと思います。黒い井戸があるからこそ、そこから汲み上げられるものも。明るい太陽だけがエネルギーではありません。今日はル・クレジオなどを翻訳したフランス文学者の豊崎光一の命日。（K）

大きな親切をおこなっても、感謝は受けとれない。どころか、相手に復讐心を芽生えさせる。

ニーチェ

『ツァラトゥストラかく語りき』

佐々木中訳／河出文庫

人に親切にして、感謝されないだけならまだしも、なぜ復讐されなければならないのか？「親切」を「お金」に置き換えてみると、わからなくもありません。お金を貸してもらうのはありがたいですが、どんどん借金が増えていき、返せないほどふくらんでいったら、だんだん相手が憎くなってくるのは、理解できない心理でもないと思います。人に親切にしたときは、相手にも何かしてもらって、一方的にならないよう気をつけたほうがいいようです。今日は「小さな親切運動スタートの日」。（K）

6/14

人は『千一夜物語』の中に
迷い込みたいと思う。
その本の中に入れば
人間の哀れな運命が
忘れられることを
知っているからです。

ボルヘス

『七つの夜』

野谷文昭訳／岩波文庫

これは本当にそうです！　私も難病になってつらかったとき、『千一夜物語』にひたりきることで、ずいぶん助かりました。物語の宝箱です。なお、『千一夜物語』にはガラン版、バートン版など何種類かあり、それぞれにちがいがあります。個人的にはマルドリュス版がおすすめです。岩波文庫と、ちくま文庫の佐藤正彰訳のものがマルドリュス版です。どちらも名訳です。ボルヘスはアルゼンチンの詩人・作家で、その頭脳は無限の図書館と言ってもいいほど、あらゆる本に精通しています。今日はそのボルヘスの命日。　(K)

6／15

世界は、深く、ゆっくりと、
暖かな呼吸をしていた。
起きあがって、
窓からからだをのりだしてごらんよ。
いま、ほんとうに自由で、
生きている時間がはじまるのだから。
夏の最初の朝だ。

レイ・ブラッドベリ

『たんぽぽのお酒』

北山克彦訳／晶文社

12歳のダグラスは、夜明け前に1人で起き出して、おじいちゃんの家の塔の上から町を見下ろしています。これからまさに、1928年の夏がはじまるという朝のことです。夏にはそれだけで魔法のように感じられるところがありますが、この小説ではそれがそのまま物語となって、1つまた1つと読者の目の前に広がります。この冒頭部を読むたびに、夏休み初日のわくわく感がよみがえり、あれもしたいこれもしたいとはやる気持ちになるようです。夏の一歩手前、梅雨の時期に。　(S)

6／16

この世の事はおよそ落着《おちつ》きがなく、
いつもうつろい変化《へんげ》します。
それと同じことは
私の舌についても起りましょう。
私は自分の判断も
実は信用していません。

ボッカッチョ

『デカメロン』

平川祐弘訳／河出文庫

14世紀、ペストが猛威をふるう町を抜けだして山荘にひきこもった男女が、憂さ晴らしのためにお話を語り合うという構成です。これは、つい読み飛ばしてしまいそうになる“著者結び”から。ユーモラスな調子の中には、鋭い言葉がいくつも潜んでいます。たとえばこの一節は、未知の感染症が蔓延するような状況においては、真実とされるものの内容が常に変化するものであって、誰もがその事実を前提に思考し、発言・行動しなければならないということを思い出させます。ボッカッチョの誕生日に。　(S)

6／17

「面白い時期よね――何も動かないのに、ものすごくいろんなことが起こっている」

J・G・バラード

『旱魃世界』

山田和子訳／創元SF文庫

世界中で旱魃が頻発し、ついに雨がほぼ一滴も降らなくなりました。湖や川は干上がり、人々は内陸部の町を捨てて海辺を目指します。主人公の町も例外ではありません。このセリフは、居残った数少ない住民の１人であるキャサリンのもの。何気ない言葉ですが、たとえば新型コロナウイルス感染症の蔓延が最初に拡大していった時期の、世界が急激に変容する一方で、日常は限りない停滞の中にあるという、あの奇妙な感覚とも見事に合致しているようです。今日は、砂漠化および干ばつと闘う国際デーとのこと。 (S)

6／18

「人間の病《やまい》は同輩を一方的に断罪することだよ、チャールズ」

J・G・バラード

『旱魃世界』

山田和子訳／創元SF文庫

『旱魃世界』からもう1つ。人影がほとんどなくなった町には、建築家ローマックスが残っています。ガラスとコンクリートでできた異様な豪邸と人の神経を逆なでするその言動から、多くの人々が彼に嫌悪感を抱いたり、落ち着かない気持ちで遠巻きに眺めたりしていました。これは、彼の“真価”を認める数少ない人間である主人公に、ある日ローマックスが漏らした言葉です。もちろん、社会のために必要な断罪もあるわけですが、それでも、日常を暮らしながら念頭に置いておくべき警句のように感じられます。（S）

6/19

われわれは
幸福になる準備ばかり
いつまでもしているので、
現に幸福になることなど
できなくなるのも、
いたしかたがないわけである。

パスカル

『パンセ Ⅰ』
前田陽一、由木康訳／中公クラシックス

パスカルの名は、数学や物理学などさまざまな分野に登場します。『パンセ』は、その晩年（とはいっても40歳手前で亡くなっているのですが）に書き留められた断片を死後にまとめたものです。この言葉は、“現在”こそが、ほんとうに自分のものである唯一の時であるにもかかわらず、頭の中を占めているのは過去と未来のことばかり、なぜなら現在というものはたいてい私たちを傷つけるから、でも現在を未来で支えるなど空しいことだ、と説きます。パスカルの誕生日に。　(S)

6/20

わたしたちはだれもが、
よそものになった経験を
もっているはずだ。
その唯一共通の経験を
忘れてはなるまい。

ローレン・ケスラー

『不屈の小枝』上

武者圭子訳／小学館

1901年から1907年の間に、約11万人の日本人が渡米したそうです。ヤスイ・マスオもその1人で、“よそもの”としての苦労を重ねながら家族と共にアメリカ人になりました。ヤスイ家三世代の物語を記録したこの本のまえがきに出てくるのが、この言葉。よく考えてみるとこれは、ほぼすべての人間にあてはまることに気づきます。入園や入学など、大人になるまでに忘れてしまうような体験までを含めれば、“よそもの”の心細さを味わったことのない人はいないはずだからです。世界難民の日に。 (S)

6/21

「ぼく、人間なんかになりたくない。きみたちといっしょにラプランドまでいきたい」

セルマ・ラーゲルレーヴ

『ニルスのふしぎな旅』1

香川鉄蔵・香川節訳／偕成社文庫

魔法で小人にされたいたずら小僧が、ラプランドを目指すガンの群に同行し、やさしい少年へと成長するというおなじみの物語です。実はニルス、早い段階で人間に戻る機会を手にしますが、元々勉強も学校の友だちも嫌いだったため、それを断ります。この時点では勝手な希望を訴えているだけですが、素直な気持ちのままに行動することで、結果として貴重な経験を積み、人間として大きく成長することができたわけです。1年の半分が終わるこの時期、自分の率直な気持ちに耳を傾けても良いかもしれません。 (S)

6/22

「苦しみつつはたらけ」
それはそのころの私の絶望や失意を
救ってくれた唯一の本、
ストリンドベリイの「青巻」に
書かれている章句の一であった、
「苦しみつつ、なおはたらけ、
安住を求めるな、この世は巡礼である」

山本周五郎

『青べか物語』

新潮文庫

昭和初期の千葉県浦安町(現：市）での体験を元に書かれた作品で、つまらない自意識とは無関係に生きている人々の姿が爽やかな、抜群に面白い小説です。しかしそういう自意識を抱えたままの若き主人公は、心洗われながらも、最終的にはこの“僻地”を逃げ出します。その時、頭の中で響く言葉がこれ。ちなみに、もう戻らないと宣言した主人公は30年後にも再訪し、懐かしい人に出会います。でも向こうは彼をほとんどおぼえていません。人生とはそんなものと示されてみると、気が楽になるようです。作者の誕生日に。（S）

6／23

心しつつ
心せざる術《すべ》を
教えたまえ
心静かに坐す術を
教えたまえ

T・S・エリオット

「灰の水曜日」／『四つの四重奏』

岩崎宗治訳／岩波文庫

実はこの詩の一節、『羊たちの沈黙』に登場しています。ストレスを感じた主人公が、「案ずるべきこと、案ずるに及ばないことを、われらに教えたまえ。平静を保つ術を教えたまえ」（高見浩訳）と自由にアレンジしつつ呟くのです。また、依存症の自助グループで使われる「平静の祈り」にも通底する響きがあります。「変えられないものを受け入れる心の平穏を、変えられるものを変える勇気を、そして両者を見分ける智慧をお与え下さい」という内容です。1年の半分が過ぎるこの時期に心を落ち着かせるため。　(S)

6/24

金言（adage *n.*）

歯の弱い者でも噛めるようにと、

骨が抜き取ってある人生の知恵。

アンブローズ・ビアス

『新編 悪魔の辞典』

西川正身編訳／岩波文庫

辞典形式でさまざまな言葉を解説し、人間というものを笑い飛ばす本です。思春期にこういう毒気に出会うと夢中になるものですが、長じてから、斜め見をしてみると安易な露悪趣味という気がして距離を置いたりします。ところが久しぶりに開くと、ドキリとさせられる記述ばかり。なにしろ、“名言集”は、骨のない言葉でできているというのですから。ジャーナリストであり小説家でもあったビアスは、メキシコで失踪しました。世界がこういうふうに透けて見えているのでは、姿を消したくもなりそうです。作者の誕生日に。 (S)

6／25

人生には
不幸を通ってくる
幸福があるように、
落葉のかなたには
春の芽《め》生《ばえ》が
待っている。

宮城道雄

「落葉をふんで」／『定本　宮城道雄全集』下巻
東京美術

「人生には不幸を通ってくる幸福がある」というのは、たしかにその通りだと思います。たとえば、不幸を経験したからこそ、人にやさしくなれたり、人のやさしさに気づいたり。もちろん、だからといって、不幸にも価値があるとか、不幸で成長できるとか、そういうことはまったく思いません。不幸を通らない幸福のほうが、ずっといいです。なお「落葉のかなたには春の芽生が待っているように、人生には不幸を通ってくる幸福がある」ではないのが面白いです。今日は宮城道雄の命日。（K）

6/26

涙とともにパンを
食べたことのない者には、
人生の本当の味はわからない。
ベッドの上で
泣きあかしたことのない者には、
人生の本当の安らぎはわからない。

ゲーテ

『絶望名人カフカ×希望名人ゲーテ 文豪の名言対決』

頭木弘樹訳／草思社文庫

主人公がさまざまな経験を乗り越えて内面的に成長していくというストーリーは今でもよくありますが、そういう「成長小説」のパターンを生み出したのが、1796年6月26日に完成したゲーテの『ヴィルヘルム・マイスターの修業時代』。これはその中の言葉。ゲーテは「暑さ寒さに苦しんだ者でなければ、人間というものの値打ちはわからない」とも言っています。苦労すれば成長するとは限りませんが（歪んだりダメになることも）、経験しなければわからないことがあるのもたしか。

（K）

6/27

松江の一日は、寝ている私の耳の下から、ゆっくりと大きく脈打つ脈拍のように、ズシンズシンと響いてくる大きな振動で始まる。（中略）

それは米を搗く、重い杵の音であった。それから、禅宗の洞光寺の大きな梵鐘の音が、ゴーンと町中に響きわたる。

（中略）

朝早い物売りの掛け声が始まる。「大根やい、蕪や蕪」

（中略）

川岸から、柏手を打つ音が聞こえてくる。

（中略）

柏手が鳴り止むと、いよいよ一日の仕事が始まる。下駄のかしましい音が、橋の上で段々大きくなってゆく。

小泉八雲

『新編 日本の面影』

池田雅之訳／角川ソフィア文庫

日本の朝をこんなに美しく感じた日本人はいないのではないでしょうか。『日本の面影』の中でも、印象的で感動的な箇所です。小泉八雲（ラフカディオ・ハーン）は音に関する感性が特に鋭いです。これには理由があります。16歳のときに、学校の遊具で遊んでいて、太いロープが左目にあたって、失明してしまうんです。残った右目のほうも、かなり近眼だったようです。だからこそ、見えるものの美しさについてもたくさん書いていますが、耳の敏感さは特徴的です。今日は小泉八雲の誕生日。（K）

6/28

時間を感じさせない状態。ただ現在だけがあり、
その持続性も継続性も感じさせず、欠落も充足も、
喜びも苦しみも、欲望も不安も感じず、
ただ感じるのは自分の存在だけ、
しかも、その存在感だけで自分が満たされる状態。
もし、そんな状態が続くならば、
それを幸福と呼んでいいだろう。

ジャン＝ジャック・ルソー

『孤独な散歩者の夢想』

永田千奈訳／光文社古典新訳文庫

過ぎたことを思い悩んだり、先のことを考えて不安に陥ったりせず、ただ、今こうしていることだけで満たされている状態こそが幸福なのではないか。いろんな人がさまざまに書いていることで、深く腑には落ちるのですが、求めて得られる状態でもないし、と距離を置きたくもなります。しかしルソーもまた、自分自身の人一倍強い被害妄想や虚栄心に苦しんだのだそうで、だからこそ人生のある時期に訪れたという、この幸福の瞬間を甘美に思い返したのです。そう考えると、幸福も少しだけ身近に感じられます。ルソーの誕生日に。　(S)

6/29

デザインは一人でするものではない。

柳宗理

『柳宗理 エッセイ』

平凡社ライブラリー

ここで語られているのは、主に工業デザインのことです。見た目の良さを追求すれば良いわけではなく、内部から滲み出た美しさを体現すると同時に、内部の仕組みをも作り変えるのがデザイン。それゆえ流行を追うのがデザインではないし、関わる人間すべてが良くなければ良いデザインにはならない。それが柳宗理の考えるデザインです。しかしここで“デザイン”を“仕事”に置き換えてみると、これは広く“仕事”全般に言えることであることに気づきます。柳の誕生日に。 (S)

6／30

誰にも束縛されずに歩いていく人間が、
孤独をくぐり抜け、静寂を通り抜けて、
原始の世界のどんな異様な場所へ
たどり着いてしまうことがあるか、
君らにわかるはずがない。

ジョゼフ・コンラッド

『闇の奥』

黒原敏行訳／光文社古典新訳文庫

ここでは、アフリカの奥地で異様な“王国”を築き上げた白人のことが語られています。“文明的”な行動規範を完全に逸脱したこの人物のことを批判するのは易しいけれども、人目がなく、犯罪を取り締まる警察官もいないところで、ただ自分の声と力だけを頼りに孤独に生きるとき、果たして最後まで“文明的”であり続けられる人間がいるのでしょうか？　というお話です。他人をなじりたくなった時に、いつも思い出すようにしている言葉です。舞台となったベルギー領コンゴが独立した日に。　(S)

7月

7/1

腕力なんて
別に自慢するほどの
ものじゃない。
たまたま相手が弱いから
こっちが勝つだけのことだ。

ジョゼフ・コンラッド

『闇の奥』
黒原敏行訳／光文社古典新訳文庫

『闇の奥』からもう1つ。語り手のマーロウは、ロンドンの風景から時を遡り、ローマ人たちがやって来た1900年前、闇が“ここ”にあった頃を想像します。それは“ついこのあいだ”のことであり、征服者は腕力で殺戮・強奪しました。まさに、当時ヨーロッパ各国が植民地で行っていたことです。すべては、たまたまその時に腕力が強いのはどちらか、という話に過ぎないわけです。この事実は、たとえば思わず国内外の“生活水準”の比較をしてしまう時に、最低限忘れたくないものの1つではないでしょうか。　(S)

7/2

人に希望を授けるような本
（人類が一時的に抱え込んだ諸問題を
多少とも解決するようなことを意図した本）
が伝えるメッセージに
私は何の価値も見出しません。

ナボコフ

『ナボコフ書簡集 1940-1959』
江田孝臣訳／みすず書房

ひどいことを言っているようですが、そういう本が読みたい場合には、自己啓発本を読めばいいわけです。文学の役割は、そういうことにありません。文学の役割は、まだ言葉になっていない、他の分野では決して描かれない現実を描くことにあります。それは口当たりのいいものばかりではありません。暗く絶望的なこともあるでしょう。そして解決策を考えるのもまた文学の役割ではありません。文学は現実を描くだけです。ですが、それがとても重要なのです。今日はナボコフの命日。（K）

7/3

悲しみは最悪のことではない。

フランツ・カフカ

「日記」／『食べることと出すこと』

頭木弘樹訳／医学書院

最初にこの言葉を読んだとき、私は意味がわかりませんでした。悲しみは最悪なのでは？　それより最悪なことって？「苦しみ」とか「痛み」とか「死」なのか？　その後、とてもショックな出来事があったときに、何の感情も感じなくなるという、失感情症のような状態を経験しました。悲しくも嬉しくもなく、何も感じないのです。じつに不思議な状態でした。あとで、この言葉を思い出しました。そして悲しみを感じられるうちは、まだ最悪ではないのだと知りました。今日はカフカの誕生日。　（K）

7/4

人生を大きく揺り動かし、
将来まで変えてしまうくらいの
出来事でも、いったい何が
起きたのか、私たちはほとんど
気づかないままのことがあります。

ナサニエル・ホーソーン

「人生に隠された秘密の一ページ」／『絶望書店 夢をあきらめた9人が出会った物語』
品川亮訳／河出書房新社

私たちは、自分の人生に起きたことなら、何でも知っているつもりになってしまいがちです。でも、じつは自分では気づいていないこともたくさんあります。たとえば、運転中の誰かがちょっとスマホを見るか見ないかで、事故死するかしないかの運命が変わっているかもしれません。自分にだけぜんぜんチャンスが巡ってこないと感じている人も、じつは知らない間に巡ってきているかも。どういうことか気になる人はぜひこの短編を。今日はホーソーンの誕生日。代表作に『緋文字』など。 (K)

7/5

読者の望み、それは自分を読むことだ。

ジャン・コクトー

『ぼく自身あるいは困難な存在』

秋山和夫訳／ちくま学芸文庫

詩や小説を読むとき、「作者がどういうつもりで書いたかが大切」という人もいます。しかし、本当に肝心なのは、作者がどういうつもりで書いたかとか、他の人がどう読むかとかではなく、自分自身にとってどういうふうに読めるかではないでしょうか？「これは自分のことを書いた小説だ」「自分の気持ちを書いた小説だ」と思えるとき、作品は最も輝きを増します。コクトーは「人間は書物を読むのではなく、読むことで自分自身を読む」とも言っています。今日はコクトーの誕生日。

（K）

7/6

「けちをつけられた
部分があれば、
何はともあれ書き直そうぜ」
ということです。

村上春樹

『職業としての小説家』
スイッチ・パブリッシング

どんな職業でも、自分の仕事にケチを付けられたら冷静ではいられません。いられるとしたら、批判をかわす回路が自分の中に出来上がっているということで、その場合には、仕事での進歩は望めないのではないでしょうか。小説家・村上春樹は、どんなに信頼していない相手からの批判でも、あるいは批判の内容に納得がいかなくても、該当箇所を書き直すのだそうです。たとえ相手の助言とはまったく違う方向であったとしても。1年の半分を過ぎたこの時期に、自分の仕事を見直すために。 (S)

7/7

郷土！　いま遠く郷土を望景すれば、
万感胸に迫ってくる。
かなしき郷土よ。
人人は私に情《つれ》なくして、
いつも白い眼でにらんでいた。
単に私が無職であり、
もしくは変人であるという理由をもって、
あわれな詩人を嘲辱し、
私の背後《うしろ》から唾《つばき》をかけた。

萩原朔太郎

『純情小曲集・出版に際して』
青空文庫

萩原朔太郎は中学で落第し、高校の受験も失敗。翌年、熊本の高校に入りますが、また落第。岡山の高校に転校しますが、また落第。大学に入りますが退学。もう一度、大学に入りますが、また退学。京大の試験を受けますが、不合格。早稲田大学の受験は、手続きのミスでダメに。高校の先生から父親宛に「朔太郎の学業に将来の望みなし」という手紙まで。郷里の前橋に戻ってきて、詩を書いたりマンドリンを弾いたり。周囲の人たちから冷たい目で見られたようです。受験勉強の夏に。　(K)

7/8

綱渡りの　旅芸人は
ゆらり　ゆらゆら　ゆらりゆら
きのうも　きょうも　綱渡り
止まれば落ちて　けがをして
戻れば　客に笑われる
すすむしかない　哀しさが

東君平

『はちみつレモン　君平青春譜』

サンリオ

夏にぴったりなタイトルの詩集から、「綱渡り」という詩の一部です。人生は本当に綱渡りのようだと思います。「すすむしかない　哀しさ」という言葉がしみます。東君平はイラストレーター、絵本作家、童話作家。絵を見れば、必ず見たことがあると思います。大きな病院の院長の息子として生まれ、幼い頃は裕福に暮らしていたのですが、中学生のときにお父さんが亡くなってしまい破産。一家は離散。親戚の家を転々とし、鰹節工場を手伝ったり、薪割りをしたり、大変な苦労をしています。（K）

7/9

多くの文化は幻覚を、
夢と同じように特別な意識状態と見なし、
到達できるのは幸運なことと考えて、
精神修養、瞑想、薬物、または
孤独によって、積極的に求めている。
しかし現代の西洋文化においては、
狂気の兆候か、脳に悲惨なことが起こる
前触れとされることのほうが多い――
大部分の幻覚には、
そのような暗い意味合いはないのだが。

オリヴァー・サックス

『見てしまう人びと 幻覚の脳科学』

大田直子訳／早川書房

神経学者サックスが、幻覚体験の豊かな世界を伝えてくれる本です。もちろん本人にとっては生活に支障を来すやっかいな幻覚も多々あるのでしょうが、ここに引いた“はじめに”の一節にあるように、すべてに“暗い意味合い”がある、と捉えるべきではないのです。なにしろ幻覚かそうでないかは、自分が知覚している対象を、他の人も知覚するかしないかの差でしかないわけですから。そう考えると幻覚体験のない人の世界観もグラリと揺れて、思考の柔軟性が増すように感じられます。サックスの誕生日に。　(S)

7/10

私たちの社会的人格は、
他人の思考によって作り出されたものだ。
私たちが「知っている人に会う」と表現する、
ごく単純明快な行為でさえ、
ある部分では理知的な行為である。
私たちは目の前にいる人物の身体的な外見に、
その人に対して抱《いだ》いている
あらゆる概念を注ぎ込む。

マルセル・プルースト

『失われた時を求めて① 第一篇「スワン家のほうへI」』

高遠弘美訳／光文社古典新訳文庫

アメリカのとあるTVドラマの登場人物の1人が、この小説について“実は時空を自由自在に旅するぶっ飛んだSF小説なんだぜ”という意味のことを話していました。たしかにそのとおりで、語り手は基本的に同時に複数の場所と時間に存在していて、同じことは私たちにもできると気づきます。この言葉においても“人格という概念そのものがまがいもの”と言いたいわけではなく、人格とは他人の視線が入力するデータによって構成された人工知能なのだと語っているようです。プルーストの誕生日に。 (S)

弱者への愛には、いつも殺意がこめられている……

安部公房

『密会』
新潮文庫

言葉の意味を安部公房自身が説明しています。「つまり弱者を排除したい、強者だけが残るということなんだね」「現実の社会関係の中では、必ず多数派が強者なんだ。平均化され、体制の中に組み込まれやすい者がむしろ強者であって、はみ出し者は弱者とみなされる」「人類の歴史は弱者の生存権の拡張だった。社会の能力が増大すればするほど、より多くの弱者を社会の中に取り込んできた。弱者をいかに多く取り込むかが文明の尺度だったとも言える」。国際人権規約が発効した日に。　(K)

7/12

私たちは今、
人生を航海しているのですから、
暮らしや仕事がどうあろうと、
好奇心一杯の船客になって、
甲板の手すりから身を乗り出し、
大海原の彼方へ
精一杯目を向けて当然です。

ヘンリー・D・ソロー

『ウォールデン 森の生活』下

今泉吉晴訳／小学館文庫

19世紀半ば、ソローはマサチューセッツ州にあるウォールデン湖畔で2年余りの自給自足生活をし、手記をまとめました。森の奥にひきこもり、変化していく自然の中で読書と思索にふける——理想の生き方の1つとも言える日々です。ここでは、“今いるこの場所が世界のすべてではない”と読者に語りかけます。必ずしも実際の旅を勧めているわけではなく、“自分が進む方向に着実に向かう歓び”を味わうために、頭を柔らかく保ち、“夢と希望を開こう”と呼びかけているのです。ソローの誕生日に。 (S)

7／13

あの人はもう許しを受けていました。
だから私が改めてあの人を
許すこともできないし、
そんな必要もなかったの。
でも、いったい誰が
私より先に彼を許すっていうの。

李清俊

「虫の話」／『絶望図書館』
斎藤真理子訳／ちくま文庫

子どもを誘拐されて殺された女性が、立ち直れず苦しみます。誘われて、キリスト教に入信し、ようやく心の平安を得て、ついには犯人を許そうと決意します。そして、刑務所に面会に行くと、犯人もキリスト教に入信して、すでに神の前で懺悔し、神の許しを得て、心の平安を得ていたのです。女性は衝撃で立ち直れなくなります。人を許すとは、許されるとは……。カンヌ国際映画際で賞をとった『シークレット・サンシャイン』の原作となった短編小説です。今日は「生命尊重の日」。

（K）

7／14

働くのでも遊ぶのでも時間をきめて、
毎日毎日が有益に楽しくなるようになさい。
時間の使い方をじょうずにして、
その価値がわかるようにおなりなさい。
そうさえすれば、若い時代は楽しくなるし、
年とってから後悔することもなく、
貧乏でも人生というものは
美しいものになるのです。

L・M・オルコット

『若草物語』

吉田勝江訳／角川文庫

マーチ家には、聡明で信心深いお母さんのマーチ夫人とお手伝いのハンナ、そして美しい長女のメグ、活発で作家志望の次女ジョー、内気なベス、絵を描くのが好きなエイミーという4人の娘がいます。物語は、ご存知のとおりささやかな事件や失敗や幸せな出来事を通して、この四人姉妹がぶつかったり助け合ったりしながら成長していく姿を描き出します。この言葉は、そんな彼女たちに向けられたマーチ夫人の教えです。時間の使い方を見失いがちな夏休みの時期に。 (S)

7/15

ジョーは年こそ若くとも、
人の心というものは、
花と同じで
手荒に扱ってはならぬもの、
自然に開くのを待つべきもの
ということを知っていた。

L・M・オルコット

『続 若草物語』

吉田勝江訳／角川文庫

『若草物語』の続巻はメグの結婚で幕を開け、ジョーはニューヨークに出て作家修業に身を投じます。しかし、元々病弱だったベスの体調は悪化していきます。この言葉は、苦しみを抱えるベスを前にしたジョーが、いろんな言葉を投げかけたい自分を抑えて、妹の方から心を開くのを待つ場面に登場します。勝ち気なジョーも人生経験を重ね、人の心がさらにわかるようになっていたのです。善意からのことだったとしても、人の心をつい手荒に扱ってしまったことに後で気づいたりするのはよくあることではないでしょうか。 (S)

7/16

病《や》みてあれば
心も弱るらむ！
さまざまの
泣きたきことが
胸にあつまる。

石川啄木

『悲しき玩具』
青空文庫

今の世の中は、病人にも前向きで明るく生きることを求めるところがありますが、身体が弱れば、心も弱るのが自然。将来のこと、家族のこと、お金のこと、いろんな心配事も増えます。泣きたい気持ちにもなります。そういうとき、こういう「ああ、本当にそうだなあ」としみじみ思える歌があることが、どれほど救いとなるかしれません。石川啄木は26歳の若さで結核で亡くなりました。妻の節子も娘も結核で亡くなっています。昭和62年7月に落慶した盛岡の松園寺にはこの歌の歌碑が。　（K）

7/17

神は人間に孤独を与へた。
然《しか》も同時に同じ人間に
孤独では居られない
性質をも与へた。

佐藤春夫

『退屈読本』
冨山房百科文庫

シャイで人づきあいが苦手という性質と、社交的で人づきあいが好きという性質は、正反対に思えます。ところが、この2つの性格はそれぞれ独立したものなのだそうです。つまり、シャイで社交的という人も存在するのです。そういう人は、孤独でいたいという気持ちと孤独ではいられない気持ちの両方を心の中に持っているわけです。じつはそういう人が多いのかもしれません。神様はなぜ人間をそういうふうに作ったのか不思議です。『退屈読本』は随筆集。「退屈」は夏の季語。 (K)

7/18

自分の顔がブラウン管いっぱいに
映ったほんの一瞬、
おかあさんは目をつぶってしまった。
自分の頬骨がこんなに
突き出ているなんて
知らなかったからだ。

チョン・イヒョン

「ずうっと、夏」／『優しい暴力の時代』
斎藤真理子訳／河出書房新社

このおかあさんは、端役とはいえ、人気ドラマに出演することができたのに、画面に映し出された自分の顔を見て、自己イメージとのちがいにショックを受け、女優の夢をあっさりあきらめてしまいます。たったこれだけのことで？　と不思議に感じる人もいるかもしれません。しかし、その決断に、娘も大いに共感します。現実から目をそらさず努力する人もいるけれど、人生が苦難の旅路である必要はないし、部屋にこもって鍵をかけてしまってもいいのだと。あなたなら、どうしますか？　(K)

7/19

たのしみは
昼寝せしまに
庭ぬらし
ふりたる雨を
さめてしる時

橘曙覧

「独楽吟」／『橘曙覧全歌集』

水島直文・橋本政宣編注／岩波文庫

日常のささやかな“たのしみ”を詠った「独楽吟」からもう1首。夏の暑い日に昼寝して、ふと目覚めるといつのまにか雨が降っていた。そのことを、濡れた風景を見て知る。夏のしあわせが凝縮された、ため息をつきたくなるような光景です。ちなみにこの「独楽吟」は季節にまつわるものばかりでなく、珍しい本を借りて帰ってきてそれを開くときのよろこび、あるいは本を読むのにも飽きたなあと思っていたら人が訪ねてきた、という時のうれしさなども、詠われています。暑い夏の日に。 (S)

7/20

そもそも多数とは何だろう。
だれが多数なのだろう。
多数は何を考え、いかに行動し、
将来変わるのかどうか。そしておれが
このいまいましい多数に加わったのは、
一体全体どういうわけだ。
おれは居心地がよくない。

レイ・ブラッドベリ

『火星年代記』

小笠原豊樹訳／ハヤカワ文庫

人類の移住が本格化する頃、火星人はほとんど死に絶えています。地球から持ち込まれた水疱瘡によって致命的な打撃を受けたのです。やがて火星のものはなにひとつなくなり、地球とそっくり同じ光景ができあがるでしょう。この独白は、そのことへの違和感を抑えきれなくなった、初期の探検隊員の1人の独白です。いつでも、多数派に属する居心地の悪さは忘れたくないと思い出させてくれます。アメリカの探査機バイキング1号は、今日火星に着陸しました(1976年)。 (S)

7/21

海「海、そういう時叱ってくれる——オッカナイ

亭主がいいンだよネ」

「ガーンと怒って殴ってくれるみたいな」

利夫「オレ叱るもン」「殴っちゃうもン」

海「だけど暴力はやなンだよネ海」

利夫「矛盾してるじゃないッスか！」

海「今年は海矛盾がしたいンだよネ」

倉本聰

『倉本聰コレクション3　前略おふくろ様　Part2 - 1』

理論社

桃井かおり演じる海ちゃんに、川谷拓三演じる利夫さんがプロポーズするシーンです。抜粋です。矛盾はしていますが、どっちも本当だということはありうることだと思います。普通は、矛盾していると、自分の中で調整するわけですが、でもそれは無理に調整しているのであって、本音を言えば両方の気持ちがある、ということってあると思います。たとえば、死にたいし生きたいとか、好きだけど嫌いだとか。人間、むしろ、矛盾しているほうが、自然なんだと思います。今日は川谷拓三の誕生日。（K）

7/22

「この世には不思議なことなど何もないのだよ（略）」

京極夏彦

『姑獲鳥の夏』
講談社文庫

物語の“探偵”役である京極堂こと中禅寺秋彦の“口癖”です。切れ味の良さからついつい真似して使いたくなります。しかしながらこの言葉、すべては科学で説明がつくという意味でもなければ、人の意識の上では幻覚も現実も等しく実在すると主張するわけでもありません。ならば何なのか？ 要するに、どちらと断定することの安易さをひたすら拒絶して思考し続けるということなのだ、と知ったかぶりしておくのが日常生活では役に立つと考えています。作品タイトルに因み真夏に。 (S)

どうせ
生きているからには、
苦しいのは
あたり前だと思え。

芥川龍之介

『仙人』

青空文庫

親友への手紙に「周囲は醜い。自己も醜い。そしてそれを目の当たりに見て生きるのは苦しい」と書いた数カ月後の大正4年7月23日に芥川龍之介はこの『仙人』を書きます。手紙の「生きるのは苦しい」がひっくり返って、「生きているからは、苦しいのはあたり前」になっています。ひっくり返っただけですが、こう言われると、ずいぶん救われる気がします。「ああ、生きるのは苦しいけど、生きているからには、苦しいのがあたり前なんだ」と、苦しさがいくらかやわらぐ気がします。 (K)

7/24

この世には、幸福もあり不幸もあり、
ただ在るものは、
一つの状態と他の状態との
比較にすぎないということなのです。
きわめて大きな不幸を経験したもののみ、
きわめて大きな幸福を
感じることができるのです。

アレクサンドル・デュマ

『モンテ・クリスト伯』七

山内義雄訳／岩波文庫

無実の罪で投獄されたエドモン・ダンテスが14年後に脱獄し、モンテ・クリスト伯となって復讐を遂げていくというおなじみの物語です。この言葉は小説の最後の場面に登場するもので、これだけを取り上げるのはルール違反かもしれませんが、長大な作品は過程を楽しむためのものでもあると言えますので、あえて。すべてが終わった後、伯爵がわが子のように愛する若者、マクシミリアンに宛てた手紙です。この後に有名な「待て、しかして希望せよ」が出てきます。デュマの誕生日に。 (S)

7/25

「四人はつねに一体となって協力する——これをわれわれの標語にしようではないか」

アレクサンドル・デュマ

『[新装版]ダルタニャン物語1 友を選ばば三銃士』

鈴木力衛訳／復刊ドットコム

デュマといえばこれ、という言葉をもう1つ。ここではこう訳されていますが、元は“1人はみなのために、みなは1人のために”というラテン語の成句で、各所で目にする言葉です。この物語では、特別な友情で結ばれた4人の誓いとして機能します。でも、日常の仕事現場でもよく思い出します。知らない者同士でも、同じ立場にいる人間が協力し合って仕事を進めればみんながラクになるのに、と。たいていは、たまたま所属している組織や、受注・発注といったような関係性に支配されてしまうわけですが。（S）

7/26

何十年に一回くらいしかないかもしれないが、
『生きていてよかった』と思う夜がある。
一度でもそういうことがあれば、
その思いだけがあれば、
あとはゴミクズみたいな日々であっても
生きていける。

中島らも

『僕に踏まれた町と僕が踏まれた町』
集英社文庫

中島らもは、小説家で、劇作家で、随筆家で、広告プランナーで、放送作家で、ラジオパーソナリティで、ミュージシャン。とても充実した何人分もの人生を楽しんでいるように感じられますが、その一方で、「躁鬱病は父親から、アル中は伯父から受け継いだ」と当人が語っているように、精神的な問題と、アルコールや薬物への依存で苦労しています。大麻取締法違反で逮捕されたことも。飲酒後に飲食店の階段から転落して全身と頭部を強打して亡くなっています。今日はその命日。（K）

7/27

「それでは、もう駄目《ダメ》なようか？」

相手は答えた。

「もう駄目なようだ」

よほど暫《しばら》くしてから山椒魚はたずねた。

「お前は今どういうことを考えているようなのだろうか？」

相手は極めて遠慮がちに答えた。

「今でもべつにお前のことをおこってはいないんだ」

井伏鱒二

『山椒魚・本日休診』

講談社文庫

短編『山椒魚』のラストシーン。夏です。ここが好きだという人が多いのですが（私もそう）、1985年に新潮社から新たに『井伏鱒二自選全集』の刊行が開始されたとき、作者の井伏鱒二がこの箇所をばっさりカットして話題に。その賛否が他の作家や評論家の間でも議論になりました。カットしたほうが深くなるという人もいれば、作品の破壊だと言う人も。いったん発表され、多くの読者の心に刻み込まれている作品は、たとえ作者といえども、勝手に変えるべきではないという意見も。（K）

7/28

医者なら、
完全に健康な人間などというものは
おそらく一人もいはしないと言うであろうが、
同じように、人間というものをほんとうに
知っている人なら、
少しも絶望していないという人間など、
その内心に動揺、軋轢、不調和、
不安といったものを宿していない人間など、
一人もいないと言うにちがいあるまい。

キルケゴール

『死にいたる病』

桝田啓三郎訳／ちくま学芸文庫

実存主義の創始者とされるキルケゴールが、1849年7月に偽名で出版したのが、哲学書『死にいたる病』。「死にいたる病」とは「絶望」のことです。人は誰でも、たとえ自覚していなくても、絶望していると、キルケゴールは言います。その絶望を自覚して、むしろ絶望を深めていくことこそが、まず必要だと。たしかに、まったく絶望したことのない人はいないでしょう。キルケゴール自身も、さまざまな苦悩を抱えた人でした。他に『おそれとおののき』『不安の概念』などの著作があります。（K）

7/29

辛辣さは
弱さの表われと
常日頃
考えているので、
どきっとした。

トマス・ハリス

『羊たちの沈黙』下

高見浩訳／新潮文庫

主人公クラリスはFBIの新人捜査官で、卓越した知性を持つ精神科医であると同時に殺人鬼でもあるレクター博士の助言を得ながら連続殺人鬼を追う、というあらすじは映画版のとおり。上司であるクロフォード行動科学課課長はクラリスの尊敬する数少ない人間の１人なのですが、ここではその彼の言葉の中に辛辣さを聞き取ります。こういうかたちであらわれる人の弱さを認められない、という自分の側の弱さにも気をつけなければと思いつつ、小気味良い信念と感じます。真夏の暑さにやられそうなこの時期に。 (S)

7/30

「ね、たすけてくれるでしょ?」

と、りゅうは、エルマーにたのみました。

「うん、もちろんさ。」

と、エルマーはいいました。

「まず、けいかくをたてようよ(略)」

ルース・スタイルス・ガネット

『エルマーと16ぴきのりゅう』

ルース・クリスマン・ガネット絵/わたなべしげお訳、子どもの本研究会編集/福音館書店

9歳のエルマーと、窮地から救い出し親友となった竜の子どもボリスとの冒険を描くシリーズの3作目です。竜が故郷の高原に戻るとそこには人間の集団がいて、15匹いる家族は全員、洞窟に閉じ込められていました。ボリスはためらいなく、エルマーに助けを求めます。エルマーにしても、親友を助けるのは当たり前の話で、たちまち具体的な思案に入ります。余計な言葉を必要としない、理想の友だち関係ではないでしょうか。今日は、国際フレンドシップ・デーなのだとか。 (S)

7/31

打ち負かされるのは
一番簡単なことだ。
与えられる命令を
すべて実行し、配給だけ食べ、
収容所の規則、労働規律を
守るだけでいい。

プリーモ・レーヴィ

『改訂完全版 これが人間か』
竹山博英訳／朝日選書

アウシュヴィッツ強制収容所を生き延びたイタリアの化学者、レーヴィの手記に出てくる言葉です。収容所には、“打ち負かされ”た結果、人間としての意思をすべて失い、ただ死ぬのを待つだけの存在と化した人々がいたのだそうです。もちろん、どれほど智慧を振り絞っても死を避けられない可能性の方が高いという極限状況での話です。それでもこのくだりには、たとえば会社のような組織によって人間が“打ち負かされる”、という現象の中身と、そうなる場合の条件や周囲への影響についても考えさせられます。著者の誕生日に。 (S)

8月

8/1

風。そして
あなたがねむる
数万の
夜へわたしは
シーツをかける

笹井宏之

『てんとろり 笹井宏之第二歌集』
書肆侃侃房

短歌です。風が吹いて寒いから、シーツをかけてあげるのか、それとも毎日毎日シーツをかけてあげていて、そのある日に、風が吹いているのか……。シーツが風にたなびく様子が目に浮かんだりもします。風が吹く夜には、この短歌を思い出すと、誰かが自分の上にシーツをかけてくれるような気がして、眠りやすいのではないでしょうか。笹井宏之は、短歌サイトへの投稿などから活動を始めた、インターネット短歌界から生まれたほとんど最初の歌人とも言われます。今日はその誕生日。 (K)

8/2

たちまち
「なごやかになれる人」は
「なごやかになれない人」を
非難し排除しがちだから
怖いといったのだった。

山田太一

『月日の残像』
新潮文庫

山田太一は電車で旅をしているとき、乗り合わせた人からバナナをすすめられました。他の人たちは受け取りましたが、山田太一は断りました。すると、そういうのよくないよと周囲から圧力をかけられました。そのことを「たちまち『なごやかになれる』人々がなんだか怖い」とエッセイに書くと、さらに「なぜ怖いのか」と手紙や電話が。それへの返事がこの言葉。わかる人にはすごくよくわかり、わからない人には説明不可能かもしれません。今日は「ハラスメント・フリーの日」。 (K)

8/3

なにかよくわからない力で、
捨てたはずの故郷に
引きよせられるのだった！

ソルジェニーツィン

「たき火とアリ」／『トラウマ文学館』

秋草俊一郎訳／ちくま文庫

水を手に入れるだけでも大変な乾燥地帯とか、とんでもなく寒い北国とかに住む人のドキュメンタリーを見ると「別の土地に行って生きるのは大変だろうけど、ここにいるよりは大変ではないのでは？」と思ったりします。でも実際には、こんな国に、こんな町に、こんな家庭にいないほうがいいとわかっていても、なかなか出て行けないものです。出て行っても、戻って来たり。ソルジェニーツィンも旧ソ連で収容所に送られ、国外追放されたのに、20年後に帰国しました。今日はその命日。　（K）

8/4

「みんながみんな、
なっとくするやりかた
なんてありません。
よごれたカネでも、
つかいみちは
たっぷりあります」

打海文三

『裸者と裸者 上 孤児部隊の世界永久戦争』

角川書店

この物語での日本では、あらゆる出自と人種の人々が蠢き、いつ終わるともしれない内戦が続いています。その中で幼い孤児の海人は、弟妹や仲間を守るために軍人となり、必要ならば闇の世界と手を組み、誇ることのできない所業にも手を染め、でも最低限の自分で定めた倫理は守りながら生きぬいていきます。このセリフは、海人の覚悟を端的に示す言葉の1つ。物語には聡明で気持ちの良い人物がたくさん出てきて、彼らの行動に触れるだけでも力の湧く気持ちになります。惜しくも早世した作者の誕生日に。　(S)

8/5

学校時代のことを考えると、
今でも寒々とした悪感が走るほどである。
その頃の生徒や教師に対して、
一人一人にみな復讐をしてやりたいほど、
僕は皆から憎まれ、苛められ、
仲間はずれにされ通して来た。

萩原朔太郎

『僕の孤独癖について』
青空文庫

「小学校から中学校へかけ、学生時代の僕の過去は、今から考えてみて、僕の生涯の中での最も呪わしく陰鬱な時代であり、まさしく悪夢の追憶だった」「学校に居る時は、教室の一番隅に小さく隠れ、休業時間の時には、だれも見えない運動場の隅に、息を殺して隠れて居た」と萩原朔太郎は書いています。そのせいか中学で落第し、高校の受験も失敗しました。学校や当時のクラスメートや先生にこういう気持ちを抱いている人は多いのでは。学校に行きたくない気持ちが高まる夏休みに。（K）

8/6

機械文明はその野蛮さの
最後の段階に達したところだ。
多少なりとも近い将来、
集団的な自殺か、
科学の成果の聡明な使用かのどちらかを
選ばねばならなくなるだろう。

カミュ

『カミュの言葉』
西永良成／ぶねうま舎

1945年8月6日、広島に原爆が投下されました。「第二次世界大戦に終止符を打つものとして、フランスをふくむ連合国内ではおおむね歓迎され、喝采された」（西永良成）。しかし、その中で、カミュだけが、わずか2日後の8月8日に、原爆に反対しています。その文章の一節です。これはものすごい早さです。カミュは、どんな理由や理論があっても、殺人や暴力を正当化することを決して許しませんでした。絶対的に反対しました。今、私たちは科学を聡明に使えているでしょうか？　（K）

8/7

明けない夜もある。

シェークスピア

『NHKラジオ深夜便 絶望名言』

頭木弘樹訳／飛鳥新社

絶望している人をなぐさめる言葉として、「明けない夜はない」という言葉がよく使われます。これは戯曲『マクベス』の中の言葉です。原文は The night is long that never finds the day. で、直訳すると「夜明けがこない夜は長い」。決して楽観的な言葉ではなく、翻訳家の松岡和子さんは「朝が来なければ夜は永遠に続くからな」と訳しておられます。私はさらに、「明けない夜もある」と訳してもいいのではないかと思っています。『マクベス』の初演は1606年8月7日の説が有力。

（K）

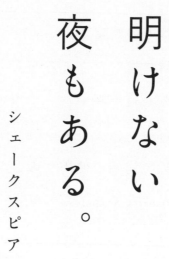

8/8

猫もこのくらい権威者になると
ごまかしはきかない、
そこらのざっとした人間などより、
趣味も嗜好も
よほど洗練されている（略）。

山本周五郎

『季節のない街』

新潮文庫

いつの時代のどこにあるとも明かされない都会の“下町”の人間模様を描く小説ですが、ここで語られているのは、猫のとらのことです。通りの真ん中を悠然と歩き、立ち止まっては市電を停車させ、吠える犬は睨んで黙らせます。てんぷら屋の前に居座る姿を見て察したその店の主人は、客の食べかすではなく揚げ残りを与えます。すると満足して立ち去るのですが、基本的にとらは人間を下に見ています。こういう強くて自由な猫にはあやかりたくなるものです。世界猫の日（国際動物福祉基金）に。 (S)

ある場所の伝統は、
他のいかなる場所における
伝統でもある。

原広司

『集落の教え 100』
彰国社

京都駅ビルなどの建築家、原広司が世界の集落を調査し、そこから導き出した空間デザインに関する教えをまとめた本です。この教えでは、ある地域内には“伝統”とそれに相反するものとが同時に存在していること、また“地域の特色”が別の離れた地域で見出される場合もあることから、“伝統”はナショナリズムと重なり合う概念ではないことを示します。そう考えると、“伝統文化”という言葉のおしつけがましさがだいぶ軽くなるようです。今日は「世界の先住民の国際デー」とのこと。 (S)

矛盾から秩序を育て上げよ。

原広司

『集落の教え 100』

彰国社

『集落の教え 100』に収められている歯切れの良い“キーフレーズ”は、私たちの思考を強烈に刺激します。ここで言われる“矛盾”とは、たとえばそのままでは生きていけない場所に集落を作る矛盾を指します。どうしてこんなところに？ と思うような場所に生きている人間は、鋭い矛盾と向き合うことで、新しい“考案”や“仕掛け”を生み出してきたわけです。地震、津波、水害、砂漠、峻険な地形のほか、感染症もまた“現象を動かす原動力としての”矛盾である、ということになるのではないでしょうか。

(S)

8/11

あき地の空気は自由だ。あき地の空気はカオスだ。

原広司

『集落の教え100』

彰国社

強い喚起力を持つ“集落の教え”を、もう1つだけ。ここでの“あき地”とは、“境界がさだかでない公共的な空地”を指します。つまり集落のどこかにぽかりと口をあけたあいまいな空間なわけですが、実は共同体が拠って立っている基盤はそこにあったりするそうです。もちろん、すぐに『ドラえもん』の空地が思い浮かびますし、なぜあの場所があれほどの魅力を放っているのかが理解されます。であるとすれば、私たちの住む場所には今も“あき地”があるのだろうか、ということが気にかかります。　(S)

8/12

夜ごと朝ごと
みじめに生れつく人もいれば
朝ごと夜ごと
甘やかな喜びに生れつく人もいる
甘やかな喜びに生れつく人もいれば
終りなき夜に生れつく人もいる

ウィリアム・ブレイク

アガサ・クリスティー『終りなき夜に生れつく』

矢沢聖子訳／早川書房

今日が命日のウィリアム・ブレイクの詩『無垢の予兆』の一節で、アガサ・クリスティーが小説のタイトルに使っています。人は生まれながらに不平等ということでしょう。私は二十歳で難病になったとき、「なんで自分だけが」と、元気に青春を謳歌している若者たちに腹が立ちました。でもある夜、他の病棟から子どもの泣き声が聞こえてきて、「幼くてして病気になる人もいる。人はみんなもともと不平等なんだ」と実感しました。だからこそ、機会や権利は平等でなければなりませんが。（K）

8/13

口に出したことばは、
愛情という機能をこわしてしまう。
（中略）悪気はなくても、
鹿に話しかけたりしたら、
鹿は尻尾をひと振りして、
あっというまに逃げていくだろう。
ことばは有害なものなのだ。

スティーヴン・キング

『スタンド・バイ・ミー 恐怖の四季 秋冬編』

山田順子訳／新潮文庫

夏休み、12歳の少年ゴーディは仲間たちと共に森の奥を目指します。貧しい家庭に育ちながらもやさしさと賢さを兼ね備えた親友のクリスは、自分の将来は諦めていますが、ゴーディの才能を認め作家になれと励まします。すべての冒険が終わった後、ゴーディは別れ際のクリスにかけるべき言葉が見つかりません。しかし、言葉にしたら壊れてしまうものはたしかにある、と大人になった彼は述懐します。作家として、諸刃の剣である“ことば”の力を信じているが故の言葉です。夏休みのど真ん中に。 (S)

8/14

死というものの他は
なにも考えられなくなっている者には、
死を主題としたものしか読めない。
少くとも、私はそうだった。
死と遠い世界の作品を読むことは、
辛くてできることではなかった。

津島佑子

「人の声ーあとがきにかえて」／『夢の記録』
文藝春秋

普通は、死を主題としたものは、敬遠してしまうかもしれません。私のような病人は、死ぬのがこわいので、むしろ死を主題としたものは避けています。読めるのは、まだ死をリアルに感じていない健康な人かと思っていました。この本には、小学2年生で8歳の息子さんを突然亡くされた悲しみが綴られています。そういうときには、こういう気持ちになるのでしょう。「文学の世界に救いを求めずにはいられない」とも書いておられます。津島佑子は太宰治と津島美知子の次女。お盆に。（K）

8/15

「なんでも変らないものはないものだ。
旧《ふる》いものは倒れて新しいものが起きるのだ。
今威張っているものがなんだ。
すぐにそれは墓場の中へ
葬られてしまうものじゃないか。」
しかし、僕にはまだ、
なにかの物足りなさがあった。

大杉栄

『自叙伝・日本脱出記』

飛鳥井雅道校訂／岩波文庫

明治から大正にかけて活動したアナーキスト、大杉栄の書いた手記です。読んでみると、あの時代にこんな人が、と驚かされるほどの自由奔放さなのですが、それはいつでも迷い揺れ動きながら生きた結果だったことがわかります。この言葉でも、読書をする中で“変らないものはない”との認識を得、一度は納得するのですが、それでもすぐに、“物足り”ないと漏らしています。信念も大切ですが、実は、自分につきまとう“満たされなさ”を直視し続けることの方が重要かもしれないと考えさせられます。終戦記念日に。 (S)

8/16

「けれどもほんとうの
さいわいは一体何だろう。」
ジョバンニが云いました。
「僕わからない。」
カムパネルラが
ぼんやり云いました。

宮沢賢治

『銀河鉄道の夜』

青空文庫

『銀河鉄道の夜』は、少年ジョバンニが、友人カムパネルラと銀河鉄道で旅する物語です。日付はありませんが、8月16日という説も。ジョバンニが持っている切符はどこまででも行ける特別なもの。旅をして何をさがすかというと、「ほんとうのさいわい」です。それはいったい何なのか？　どこまで追い求めても「わからない」ものなのかもしれません。賢治は手帳にこう書いています。「あらたなるよきみちを得しといふことはただあらたなるなやみのみちを得しといふのみ」（王冠印手帳）（K）

8/17

癖《へき》のない人間とは
つき合えない。
彼らには深情がないからだ。
疵《きず》のない人間とは
つき合えない。
彼らには真気がないからだ。

張《ちょう》岱《たい》

『陶庵《とうあん》夢《む》憶《おく》』
松枝茂夫訳／岩波文庫

ゲーテも「欠点のなかには、その人にとってなくてはならぬものもある。もし昔からの友達が、欠点をあらためたとしたら、わたしたちはさびしく感じるだろう」（『親和力』）と書いています。癖の強い人や、欠点のある人は、つきあいにくいのもたしかで、つい敬遠してしまいがちですが、最初は嫌でも、そういう人とのつきあいのほうが味わい深いと張岱は言っています。「あんな人とつきあうとソンだよ」と言われても、つきあわないほうがソンかもしれません。8月17日初版の文庫。

（K）

なんとなく生まれてきたのだから、なんとなく生きていればいいのです。

深沢七郎

『人間滅亡的人生案内』
河出文庫

人生相談に深沢七郎が答えている本です。「私は生まれてから、これと言ったことは何もしていない。いてもいなくても同じなんですね」という相談への答えは「最高の人生だと思います。なんとなく生まれてきたのだから、なんとなく生きていればいいのです。その最高の人生を持っている貴君は最高に幸福なのです。何かこれと言ったことをするような奴は人生からハミ出した奴です。米の中に住んでいる虫が米の中からハミ出して他の場所に移るのと同じです」。今日は深沢七郎の命日。（K）

8/19

どろんこのまま入っちゃいなさい。

ヒュー・ロフティング

『ドリトル先生航海記』

河合祥一郎訳／角川文庫

物語の語り手トミーは、動物の言葉を話すドリトル先生のところを訪ねます。会ってみると、高名な先生は意外にも“ちんちくりんのおかしなおじさん”でした。でも、もったいぶったところのない人柄と未知の世界の話に魅せられたトミーは、助手になることを願い出ます。そんな先生の魅力を表す言葉の1つがこれ。相手が何者であっても、びしょ濡れになっていたら迷いなく家に招き入れるのです。自分も人に対してこうありたいと考えさせられます。世界人道デーに。 (S)

8/20

要約すれば、結局三つの命題に帰着する。

第一、この世の生活を信じなければ、この世の生活を改善することさえ不可能であること。

第二、あるがままの世界に何らかの不満がなければ、満足すること自体さえありえぬということ。

第三、この不可欠なる満足と不可欠なる不満を持つためには、単なるストア派の中庸だけでは足りぬこと――以上である。

G・K・チェスタトン

『正統とは何か』

安西徹雄訳／春秋社

作家であり批評家のチェスタトンによる“キリスト教擁護論の古典”とされ、いわゆる保守思想の印象が濃厚ですが、読んでみるとそう単純ではありません。共感できたりできなかったりしつつも、とにかく激しい頭のアスレチックをさせられます。ただ、目の前の現実を頭ごなしに否定するのはダメだし、現実世界に不満を抱けないようでもダメ。かといって、両極端の中間地点を正しく見出すだけでは何もはじまらない、というのは腑に落ちます。この時期、自分の中の不満と満足を点検しておいても良いかもしれません。 (S)

8/21

試みに、
自分の抱く意見を
単純率直な言葉だけで
表現しようとしてみるがよい。
一度だけでもたいへん
いい訓練になるにちがいない。

G・K・チェスタトン

『正統とは何か』
安西徹雄訳／春秋社

『正統とは何か』からもう1つ。現代の町は、自分の足で歩こうともせず、“自分の力で考えるには無精すぎる”怠惰な連中の乗る車でいっぱい。たまには自分の言葉で考え、自分の足で歩いてみては、との呼びかけです。人が口を開けば、すぐに“右翼／左翼”、“リベラル／保守”などと、出来合いの大ざっぱな用語が投げつけられますが、それでは思考は少しも広がらないわけです。やってみると痛感しますが、意味のはっきりしないあいまいな単語を1つも使わず率直にしゃべるのは、たしかに至難の業です。 (S)

8/22

なぜ楽観に傾くか？
その答えは、
楽観主義は私にとっては
一つの意味しか
ないからだ。
つまり、最大限に
行動するチャンスである。

レイ・ブラッドベリ

「1984年を越えて」／『ブラッドベリはどこへゆく 未来の回廊』
小川高義訳／晶文社

1982年に書かれたエッセイに登場する言葉です。オーウェルが『1984年』で描き出した、あの最悪の未来まであと2年の時点です。しかしブラッドベリは、やるべきことをやる行動に出れば“1984年”など飛び越え、その先にある“2001年”に辿りつけるのだと呼びかけます。そして、「生きることを楽しくしておくための戦争」の中身を具体的に挙げていくのです。私たちはいまだに、“2001年”に到着していません。この戦いの意味と中身は変わっていないということです。作家の誕生日に。（S）

8／23

安らかな深い眠りを恵まれる夜は
年のうちに幾日もなく、
不眠症や睡眠不足も四十年の習わしでは
むしろそれが常となりまして、
まともに寝入りそうな夜は
かえってなにか不安を感じます

川端康成

「しぐれ」／『反橋・しぐれ・たまゆら』
講談社文芸文庫

これは川端康成が49歳のときの作品ですから、言葉通りに受けとるなら、川端康成は9歳のときから不眠症ということになります。そんな子どもの頃から？　とも思いますが、太宰治も「私は小学三四年のころから不眠症にかかって、夜の二時になっても三時になっても眠れないで、よく寝床のなかで泣いた」と『晩年』で書いています。文豪には不眠症の人が多いようです。あれこれ悩んで眠れなくなるような人のほうが、やはりいい作品が書けるのでしょうか。毎月23日は「不眠の日」。（K）

8／24

人類は——

唯一無二の人類は——

絶滅への途上にあり、

他方図書館は

永遠につづくだろうと

思われる。

ボルヘス

「バベルの図書館」／『伝奇集』

篠田一士訳／集英社

読書や本を秘術めいたもので包み込んでしまうと、書籍から人を遠ざけるだけと承知しつつも、この短編小説に登場する宇宙としての図書館のイメージだけは手放せません。すべての本が収められたこの図書館の中で生きる人間は、書棚の間を旅し続けて人生を終わるのです。そうして人類がいなくなっても、図書館という名の宇宙は存在し続ける。だからどうしたと言われればそれまでですが、本を手に取る時、そういう宇宙を彷徨っている感覚だけは、たしかに感じられることがありませんか？ ボルヘスの誕生日に。 (S)

8/25

怪物とたたかう者は、
みずからも怪物と
ならないように
こころせよ。
なんじが久しく深淵を
見入るとき、
深淵もまたなんじを
見入るのである。

ニーチェ

『善悪の彼岸』
竹山道雄訳／新潮文庫

ニーチェの言葉の中でも特に有名で、さまざまに解釈されています。映画やドラマでもよく引用されます。たとえば異常犯罪者を逮捕するために、その心理を探っていた捜査官が、自分も異常になっていたりするシーンで。自分の心の深淵をのぞくという意味に解釈する人も。自分の心の中にある、自分でも気づかなかった深淵。それを見つめることは、自分を知ることにもなりますが、その深淵にとらわれてしまう危険性も。最後は精神病院にも入院することになったニーチェの今日は命日。 （K）

8/26

乾きゆく
足裏やさし
一匹の
蟻すらかつて
踏まざる如く

中城ふみ子

『美しき独断 中城ふみ子全歌集』
北海道新聞社

長く入院していた歌人の中城ふみ子の短歌です。ずっとベッドの上にいて、歩かなくなった足の裏が、何も踏んだことがないかのようになってきた、という意味ではないでしょうか。足というのは、歩いていないと、本当に早く弱ります。これほど早く弱る必要がどこにあるのかと不思議になるほどです。足の裏も、歩いていないと、どんどんきれいになります。角質化しているところなんかなくなって、赤ちゃんの足の裏のように赤くてやわらかくて、すべすべに。今日はこの本の発行日。

(K)

8／27

自分を物語のように話せば、それもそんなに悪いことではなくなる

ジャネット・ウィンターソン

『灯台守の話』

岸本佐知子訳／白水社

10歳の少女シルバーは母親が崖から落ちて亡くなり、孤児になってしまいます。それを引き取ったのが灯台守のピュー。ピューは目が見えない老人で、夜ごとに物語を語ってくれます。この言葉は、シルバーが自分の人生が悲しくて泣きだしたときに、ピューがかけた言葉。作者のジャネット・ウィンターソンも孤児でした。「自分自身をつねにフィクションとして語り、読むことができれば、人は自分を押しつぶしにかかるものを変えることができる」と言っています。今日はジャネット・ウィンターソンの誕生日。　(K)

8/28

歴史が三カ月ごとにその殻を脱ぎ捨て、
新たな歴史が出現した。（中略）
その渦中にあっても、
きみはその時代が素晴らしいと分かった。
と同時に、愚かな時代、陳腐な時代でもあった。
どんなものでも陳腐になるほどに十分に正しく、
十分に長くつづく時代に思われたからだ。

スティーヴ・エリクソン

『きみを夢みて』
越川芳明訳／ちくま文庫

作家自身を思わせる主人公ザンが生きている2008年、彼の青春時代である1960年代と、1968年のロバート・ケネディの選挙運動、そしてデイヴィッド・ボウイのベルリン時代といった時空が交錯しながら展開される、傷ついた“アメリカ”を巡る物語です。ここに挙げた一節からは、“60年代”が放射していた可能性の熱が伝わってくるようです。1963年、20万人以上が参加した〈ワシントン大行進〉の行われた日に。キング牧師が「私には夢がある」と語りかけたのはこの時のことでした。（S）

8/29

どうすることも出来ないと
知っていて、
どうかしようとせずには
いられない心が、
人間の弱みでもあり、
又強味でもある。

種田山頭火

『山頭火俳句集』
夏石番矢編／岩波文庫

山頭火の句集はどこを開いても気になる言葉が目に飛び込んできますが、随筆や日記の中にもメモしておきたくなるようなフレーズがたくさんあります。この言葉は、自由律の俳誌『層雲』に寄せられた「十字架上より」と題された断章の中にあるものです。そのすぐ近くにはこういう一文もあります。「欠陥はいくらあっても構わないであろう。ただ自《みず》から知らないそして自から正そうとしない欠陥があってはならない」。なにも補足する必要のない言葉です。夏の終わりに少し心を静めるために。 (S)

8/30

気持ちが萎《な》え、
ときには涙することもあった。
だが、涙を恥じることはない。
この涙は、
苦しむ勇気を
もっていることの証《あかし》だからだ。

フランクル

『夜と霧 新版』

池田香代子訳／みすず書房

“男なら泣くな”式の教育を真剣にほどこされた記憶はありませんが、それでも、苦しむのには勇気が必要で、涙はその勇気の証だというこのくだりには鈍い衝撃を受けました。強制収容所のような場所においてすら、涙を流したと告白するときに、“ばつが悪そう”にする人が多かったと言います。一方で、“飢《き》餓《が》浮腫《ふしゅ》”の消えた人にその理由を尋ねると、涙が涸れるほど泣いたからですよ、という答えが返ってくることもあったそうです。あ、夏が終わった、と気持ちが落ちるかもしれないこの時期に　(S)

8／31

人生とは、
病人の一人一人が
寝台を変えたいという
欲望に取り憑かれている、
一個の病院である。

ボードレール

『パリの憂愁』
福永武彦訳／岩波文庫

成功者を目指していない人は、どれくらいいるでしょうか？　もちろん、どういう人を成功者と見るかには差があるでしょうが、それぞれに理想の人物がいて、あの人のような人生を自分も送ることができたらと願います。自分の今の人生より、その人の人生のほうがよく見えるわけです。でも、本当にそこまでのちがいがあるのでしょうか？なお、入院中の病人もベッドを変えたいと願います。日あたりとか、窓から外が見えるとか、わずかな差を求めて……。今日はボードレールの命日。（K）

9月

9/1

この世の悪は、
ほとんどいつでも
無知からやってくる。
そして闇雲な善意は、
悪意と同じくらいの
災いをもたらす
可能性がある。

アルベール・カミュ

『ペスト』

Gallimard

ペストという災厄に閉じ込められた人々の姿を描き、驚くほど精確な小説です。物語の語り手は、危険を顧みずペストとの闘いに身を投じる人々の“無私の善行”を過剰に賞賛することを避けます。“非常時”におかれた我々は、“正しいもの”の名の下に、やみくもに人を責め立ててしまいがちです。それを避けるためには、“無知”と“正義”、もしくは“無知”と“善意”が重なり合った時に生じるかもしれない危険を意識しておかなければならないようです。今日は、関東大震災の起きた日（防災の日）です。　(S)

［La Peste, *Albert Camus*　参考：『ペスト』宮崎嶺雄訳／新潮文庫］

9/2

人生から何をわれわれは
まだ期待できるかが問題なのではなくて、
むしろ人生が何をわれわれから
期待しているかが問題なのである。

フランクル

『夜と霧』

霜山徳爾訳／みすず書房

フランクルはオーストリアの精神科医。ユダヤ人であったため、ナチスの強制収容所に入れられ、極限状態を体験。その体験記が『夜と霧』です。仲間が次々と死んでいき、自分もいつ死ぬかわからない状況の中で、しかしフランクルは絶望しませんでした。人生に何かを期待していれば、こんな不運に見舞わされたら、絶望せざるをえません。でもフランクルは、人生が自分に何を期待しているのかと考えました。そう考えれば、つねになすべきことはあります。今日はフランクルの命日。（K）

9/3

人生のうす暗いたそがれの時期に、
入りかかっていた。
それは、青春はすぎさってしまったが、
老年はまだ訪れてこないという、
希望に似た哀惜と
哀惜に似た希望の時期であった。

ツルゲーネフ

『父と子』
金子幸彦訳／岩波文庫

中年ということを、これほど見事に表現した言葉が他にあるでしょうか。青春がすぎさってしまって、もう二度と戻ってはこないというさびしさ。でも、まだ老年は訪れていないという、なぐさめ、希望。この『父と子』が書かれた時代には、若者と中年では考え方がまるでちがい、世代の断絶がありました。今はそこまでの差はないでしょう。それだけによけい、中身は同じままで歳だけとってしまうという、かなしさが増してしまっているのかもしれません。今日はツルゲーネフの命日。

（K）

9/4

不機嫌で、打ち解けない、人間嫌い。
私のことをそう思っている人は多い。
しかし、そうではないのだ！
私がそんなふうに見える、
本当の理由を誰も知らない。

ベートーヴェン

『NHKラジオ深夜便 絶望名言』2
頭木弘樹訳／飛鳥新社

耳が聞こえないベートーヴェンは人づきあいを避けるしかありませんでした。「私は情熱的で活発な性質だった。人づきあいも好きなのだ。しかし、あえて人々から遠ざかり、孤独な生活を送らなければならなくなった。無理をして人々と交わろうとすれば、耳の聞こえない悲しみが倍増してしまう。つらい思いをしたあげく、またひとりの生活に押し戻されてしまうのだ」。不審な行動を取る人がいたら、「何か事情があるのかも」と思ってあげたいものです。今日は「クラシック音楽の日」。　(K)

9/5

ラジオのロックンロールでも
ちょっと聞こうや、
そして奮い起こせるかぎりの勇気と
あらんかぎりの信念をもって
これからの人生に向かっていこう。
誠実に、果敢に、がんばろう。
あとは真暗闇でもかまわない。

スティーヴン・キング

『IT』4

小尾芙佐訳／文春文庫

一定の周期で忌まわしい出来事が起こる町デリー。そこで子ども時代を過ごしてから大人になり、今は別々の人生を歩んでいる6人の仲間に、連絡が来ます。あれ《イット》が戻ってきたのだと。27年の歳月を経て、彼らは再び邪悪な存在との闘いに乗り出すことになります。これはすべてが終わり、デリーの町（つまり子ども時代）に完全に別れを告げる時が来た主人公たちの、人生と向き合う覚悟のような言葉です。こうして改めて読んでみると、人生のいつどんな節目にも響く言葉であることに気づきます。秋の入り口の頃に。 (S)

9/6

あすもまた、
同じ日が来るのだろう。
幸福は一生、来ないのだ。
それは、わかっている。
けれども、きっと来る、
あすは来る、と信じて
寝るのがいいのでしょう。

太宰治

『女生徒』
青空文庫

1938年9月に19歳の女性読者から送られた日記を題材にして、14歳の女生徒が朝起きてから夜寝るまでの一日の心の動きを描いた小説です。「幸福は一生、来ない」という絶望の言葉とも、「あすは来る」という希望の言葉ともとれますが、彼女は人生に何かが起きるのを待っています。太宰治は『待つ』という短編でも、ある女性が、誰かが来るのを、それが誰なのか、人間なのかどうかさえわからず、待ちつづけている姿を描いています。人はみな、何かを待っているのかもしれません。（K）

9/7

自分に書き送られてきた
手紙のようにして数ページを読み、
その真剣な眼差《まなざ》しを
受け取って心が洗われ、
半世紀も前に死んだ
一人の女性に感謝しつつ、
それではおやすみと本を閉じるのだ。

高村薫

『レディ・ジョーカー』中
新潮文庫

巨大ビール会社が恐喝を受け、“身代金”を要求されます。そこから、捜査にあたる刑事、脅迫される側の社長、事件を追う新聞記者、薬局店主といった社会のさまざまな場所にいる多くの人々を巻き込みながら、安易な謎も解決もない物語が動きはじめます。ここにある“一人の女性”とは、シモーヌ・ヴェイユのこと。ベテラン記者の根来は、その著作を“隠れ家の友”として持ち歩いているのです。自分にとってこんなふうに感じられる本を、本棚の奥から久しぶりに取り出したくなります。秋に。 (S)

9/8

「ちょいとした落とし穴だな、そのキャッチ＝22ってやつは」

ジョーゼフ・ヘラー

『キャッチ=22［新版］』

飛田茂雄訳／早川書房

第二次世界大戦中、空軍爆撃部隊に所属する主人公は、どうにかして出撃を逃れたいと考えていますが、軍規第22項の持つ堂々巡りの理屈に阻まれます。気が狂えば出撃を免除される、しかし免除を願い出るのは正気の証拠である、と規定するのです。次々と独自の理屈を持つ変人奇人が登場し、笑いがぎっしり詰まった作品なのですが、やがて私たちの社会そのものもまた、無数の“キャッチ＝22”でできていることに気づき背筋が薄ら寒くなるというわけです。イタリアでの戦争が終わった日に。 (S)

9/9

夢見よ、
夢と現実との
区別を
忘れてしまへ、

小熊秀雄

「決して淋しがるな」／『小熊秀雄詩集』
岩田宏編／岩波文庫

小熊秀雄は、詩以外にも短編小説、童話、評論、マンガ原作などさまざまな分野で作品を残しました。特に『火星探検』（大城のぼる絵）は、SFマンガの先駆的作品として手塚治虫にも影響を与えたと言われます。しかしプロレタリア詩人会に参加し、戦争に向かっていく時代に逆らった小熊の生活は厳しく、この晩年の詩は、「たたかひの歌を／人間が聴いてゐなくても失望するな」と自分を鼓舞する呟きのようです。小熊の誕生日に。　(S)

9/10

現実は砥石さ、反逆心は研《と》がれるばかりさ、

小熊秀雄

「現実の砥石」／『小熊秀雄詩集』

岩田宏編／岩波文庫

同じ詩集からもう1つ。小熊は、左翼に対する厳しい弾圧の中で詩を書き続けましたが、やがては発表先も無くなります。それでも、現実が悪化すればするほど、“反逆心”は研ぎ澄まされると言うのです。同じ詩には、「飯は喰へず／いたづらに詩が出来るばかりだ」という言葉も。そして、「手を切られたら足で書かうさ／足を切られたら口で書かうさ／口をふさがれたら／尻の穴で歌はうよ。」と結ばれます。肺結核を患った小熊は、39歳で亡くなりました。真珠湾攻撃の約1年前のことです。 (S)

9/11

どうか今のご生活を大切にお護《まも》り下さい。
上のそらでなしに、しっかり落ちついて、
一時の感激や興奮を避け、
楽しめるものは楽しみ、
苦しまなければならないものは
苦しんで生きて行きませう。

宮沢賢治

『新校本 宮澤賢治全集』15
筑摩書房

亡くなる10日前の1933年9月11日に、元教え子に宛てて書いた手紙の一節です。現存している最後の手紙です。すごいと思うのは、楽しめるうちに楽しんでおきなさいとかではなく、「楽しめるものは楽しみ、苦しまなければならないものは苦しんで生きて行きませう」と言っていることです。賢治は結核でまさに苦しんでいる最中でした。そういうときに言えることではありません。「かなしみでさえそこでは聖《きよ》くきれいにかがやいている」という賢治自身の言葉が思い出されます。

（K）

9/12

うつくしい本を出すのはうれしい。
高くて賣《う》れなくてもいゝから
立派にしろと云つてやつた。（中略）
うれなくても奇麗な本が愉快だ。

夏目漱石

中川芳太郎宛書簡／『夏目漱石全集第十四巻 書簡集』
岩波書店

ここで触れられているのは、『吾輩は猫である』の装幀です。うつくしい本には素朴に心が浮き立ちます。だから、本を作る者にとっては胸のすくような言葉でもあります。もちろん、内容とデザインと制作費がせめぎ合ったところで成立するのが本です。そこには原価計算だけでなく冒険や駆け引きや賭けがあり、それらが高い強度で均衡点を見つけたときに本はうつくしくなると勝手に思っています。この言葉については、『〈美しい本〉の文化誌』（臼田捷治／Books&Design刊）に教えられました。読書の秋に。　（S）

9/13

われわれは
大馬鹿者である。
だからこんなことを言う。
『あの人は生涯を
無為のうちに過ごした。
私は
今日何もしなかった。』

——なんだと。あなた方は
生きたではないか。
それが、
あなた方の仕事の根本で
あるばかりでなく、
もっとも輝かしいもの
ではないか。

モンテーニュ

『エセー』3
原二郎訳／岩波文庫

私たちはつい人生を充実させなければと思ってしまいがちです。休日さえ、スケジュールが真っ白だと、いけないことのように思ってしまう人もいます。でも、充実とは何なのでしょうか？　多くの出来事が詰まっていることでしょうか？　どんなに何もしていない人でも、死んでいない限りは生きています。生きているというのは、それだけで輝かしいです。何もしていない自分を責める気持ちが起きたときは、この「大馬鹿者」という言葉を思い出したいもの。今日はモンテーニュの命日。（K）

9/14

啼《な》きながら
蟻にひかるる
秋の蟬

正岡子規

『子規句集』

岩波文庫

夏にはうるさいほど元気よく鳴いて飛び回る蟬が、秋にはだんだん弱ってきます。ベランダや通路に落ちている蟬の死骸を、土の上に移してやろうとして拾うと、じつはまだ死んではいなくて、最後の力で鳴くことがあります。生きてはいるけれど、もう動くことはできない。鳴くことができるだけ。そういう蟬を、蟻がエサとして力強く運ぶ。死にゆく蟬と、生命力あふれる蟻の姿を見て、病気で寝たきりだった正岡子規はいったい何を思ったでしょうか。命の連鎖か、命のはかなさか……。　（K）

9/15

多数決制民主主義は、
その起源において、
本質的に軍事制度であった。
だから、これのみが
「民主主義」と呼びうる
制度であるという視点は、
西洋史学的な偏見でしかない。

デヴィッド・グレーバー

『アナーキスト人類学のための断章』

高祖岩三郎訳／以文社

アナーキズムがバカげた考え方ではないのはなぜか、ということをわかりやすく説き、“アナーキスト人類学”を提唱する本です。民主主義は古代ギリシャにはじまったとされますが、それよりはるかに以前から世界各地において、“みなが同等の発言権を持って、物事を決定するために集合”していたことは人類学の知見からも明らか。それゆえ、“多数決制民主主義”だけが民主主義ではなく、今ある“民主主義社会”以外の社会を創ることも夢物語ではないというお話です。今日は国際民主主義デーなのだそう。　(S)

9／16

何らの苦しみにも
あわずして、
この世のきわに
至るまでは、
何びとをも
幸福とは
呼ぶなかれ。

ソポクレス

『オイディプス王』

藤沢令夫訳／岩波文庫

老衰で亡くなるまで、何の病気もせず、何の怪我もせず、仕事も順調で、人間関係も円満で、家族にも恵まれ、お金の心配もなく、いっさいの不幸なしに過ごせる人って、どれくらいいるのでしょうか？ 皆無ではないと思います。でも、そういう人しか幸福と呼べないとしたら、本当に少数になってしまうでしょう。『オイディプス王』は、息子が父親を殺して母親と性的関係を持つという悲劇で、フロイトの「エディプスコンプレックス」のもとにもなりました。今日はその岩波文庫が刊行された日。 (K)

9/17

よく「この話は面白いけれどリアリティがない」というような言われ方がされますが、本当はそんなものはなくて、面白いものはすべて何らかの意味でリアリティがあり、リアリティのないものはどんな意味でも面白くは感じられないはずなのです。

保坂和志

『小説修業』

小島信夫、保坂和志／朝日新聞社

異なる世代の小説家同士が、往復書簡の形式で小説について語り合う本です。この言葉は、保坂和志の第１通目冒頭に登場します。あえてそこでの主旨から少し脱線しますが、これはあらゆるものの“面白さ”に共通して言えそうです。たとえば映画の“面白さ”。いわゆるハリウッド映画だとかアート映画だとかいった分類とは無関係に、面白さにハッとさせられる作品に時々出会います。それがリアリティということなのだと考えると、腑に落ちそうです。面白いものをもっと探したくなるこの季節に。　(S)

9/18

「自分で自分をよわむしだなんて思うな。
にんげん、やさしささえあれば、
やらなきゃならねえことは、
キッとやるもんだ。（略）」

斎藤隆介

『モチモチの木』

滝平二郎絵／理論社

豆太は、爺《じ》さまと二人暮らし。夜中には爺さまに付き添ってもらわないと家の外にある便所まで行けず、おねしょをしてしまうくらいの臆病者です。表に立っているモチモチの木が、夜になるとお化けのように見えるからです。でも、モチモチの木に灯がともる晩というのがあって、勇気のある子どもはそれを目にすることができると教えられます。自分には絶対に無理だと思い込む豆太ですが、爺さまを助けたい一心で、見事に勇気を振り絞るのでした。そんな豆太にかけた爺さまの言葉がこれです。月見の時期に。　(S)

9/19

世の中の重荷おろして昼寝哉《かな》

正岡子規

『子規句集』
岩波文庫

俳句で、明治28年の夏の作。いろんな悩みなどをいったんわきにおいて、ぐっすり昼寝をするという、とても気持ちのよさそうな光景です。ただし、おろさないといけない重荷があるということでもあります。それに、本当にそれをおろせるのかどうか。どちらかというと、「世の中の重荷をおろせず昼寝できず」という人が多いかもしれません。子規もこのとき、もう病気になっていますから、重荷をおろして昼寝できたかどうか。もしかすると願望を詠んだ句かもしれません。今日が命日です。　（K）

9/20

世の中で
いちばん善良な顔をして
バスの後ろの座席で
身をすくめていても、
お母さん、
握りこぶしでガラス窓を
たたき割りたかったのです。

ハン・ガン

「私の女の実」／『ひきこもり図書館』
斎藤真理子訳／毎日新聞出版

今日は、日本で最初にバスが走った日を記念する「バスの日」。バスにはみなさん、いろんな思い出があるかと思います。いろんな人が乗り合わせ、それぞれどういうことを考えているのか、外からはわかりません。この短篇小説に出てくる女性の気持ちが、よくわかる気がする人も多いかもしれません。おとなしく暮らしていても、じつは絶望のあまり、暴れ出したい気持ちを秘めている人は、少なくないでしょう。私も通院のとき、いつもバスに乗るのですが、この一節をつい思い出します。（K）

9/21

人は正しく
堕ちる道を
堕ちきることが
必要なのだ。

坂口安吾

「堕落論」／『坂口安吾全集』04
筑摩書房

敗戦の翌年に発表された、坂口安吾を代表する文章の1つです。“戦争に負けたから堕ちるのではないのだ。人間だから堕ちるのであり、生きてゐるから堕ちるだけだ”と畳みかける言葉には強烈な魅力があり、若い頃に出会うと、エッセイの論旨とは別に、ただひたすら一発でヤラレてしまいます。それで年を経てからも折に触れてこの一節だけを思い出しては、世の中の徹底しないやり方に憤慨するわけです。怒りが失われたらおしまいだ、と考えながら。今日は国際平和デーなのだそうです。（S）

9/22

人はとかく〝理解〟を〝共感〟と見誤りがちです——わたしたちは他人の共感を切望していますからね。

でも、〝理解〟と〝共感〟のちがいを学んでいくことが、すなわち、人間が成長していくことの一端なんじゃないでしょうか。

人は自分に好意を持たなくとも自分を理解できるのだということを悟るのは、とても苦しく、また興ざめなものです。

トマス・ハリス

『ハンニバル』上

高見浩訳／新潮文庫

出会って間もない頃、“怪物”レクター博士はクラリスという人間の真実をいくつか言い当てました。それから年月が過ぎたある時彼女は、レクターに好かれていたと感じたことはなかったのか、と問われます。それに対する答えがこれ。たしかに卓見で、特に若い頃には見誤りがちです。ただ、そこからさらに年齢を重ねてみると、当初は単なる“理解”だったものが“共感”へと変質する場合もある、と学ぶことになるのではないでしょうか。クラリスが進んだのもその道でした。秋のはじまりを感じながら、人間関係を静かに見つめ直すために。 (S)

9/23

人生の意味、
人生の価値について
人が問うた瞬間、
人は病む

フロイト

『〈生きる意味〉を求めて』

フランクル／諸富祥彦訳／春秋社

フランクルの本に出てくるフロイトの言葉です。「自分の人生にどんな意味があるのだろう？」。こんな疑問にとらわれたことのある人は少なくないと思います。そして、生きる意味が見つけられず、悩んだことのある人もまた多いでしょう。しかし、存在に意味があるのは、人間が作ったモノだけです。人間は、人間が作ったものではありませんから、意味はありません。だから、自分で好きなように意味をつけていいのです。本来の意味なんて、ないのですから、ある意味、とても自由です。今日は精神分析の創始者、フロイトの命日。 (K)

9/24

人間の基本的な良識や品位は、
生まれながらに
公平に振り当てられるわけではない。
そしてもしそのことを忘れたら、
ひょっとしてひどく重要なものを
見落としてしまうのではないかと、
僕はいまだに心配になってしまう。

スコット・フィッツジェラルド

『グレート・ギャツビー』

村上春樹訳／中央公論新社

小説の語り手ニックは、三代続く名家の子息です。他人を批判したくなったら、自分は人より恵まれた環境で育ったことを思い出すように、という父の忠告を胸に生きて来ました。つまり、イヤだなと思う相手もすぐに切り捨てず、“いやそれでも……”とその人に期待し続ける癖があるのです。ニックはそのせいで苦労もしますが、実は、彼ほど恵まれていない我々にとっても、安易に人や世界に絶望し、すべてを投げ出してしまわないためには必要な姿勢かもしれません。フィッツジェラルドの誕生日に。 (S)

9/25

「僕は三十歳になった」と
僕は言った。
「自分に嘘をついて
それを名誉と考えるには、
五歳ばかり
年を取りすぎている」

スコット・フィッツジェラルド

『グレート・ギャツビー』

村上春樹訳／中央公論新社

『グレート・ギャツビー』からもう1つ。ギャツビーの物語が終焉を迎えた後、語り手のニックは故郷の中西部に戻ることを決めます。そのまえに“結末”をつけておこうと考え、一時期距離を縮めた女性と久しぶり会うと、過去の振る舞いを責められます。この作品内でのその詳細はともかくとして（そして区切りの年齢が何歳であるかは重要ではありませんが）、とにかく、自分をごまかして生きていける人生の時期はやがて過ぎ去る、という点は万人にとっての真実なのではないでしょうか。 (S)

9/26

神々を相手に
途方に暮れない
ものがあるだろうか。
生そのものが
迷夢以外の
何ものであろう。

小泉八雲

「夏の日の夢」／『日本の心』
仙北谷晃一訳／講談社学術文庫

今日が命日の小泉八雲（ラフカディオ・ハーン）は、幼い頃に両親と別れ別れになり、お金持ちになったかと思ったら貧乏になり、片方の目は見えなくなり、神さまはどうして自分をこんな目にあわせるのかと思うのも無理はありません。松江の中学校で、西田先生という同僚と仲良くなり、大好きになるんですが、この西田先生が結核に。そのときも、こう言っています。「あのような善い人です、あのような病気参ります、ですから世界むごいです、なぜ悪き人に悪き病気参りません」

（K）

9/27

故郷でも不幸、
故郷ではないところでも
不幸なら、
私はどこへ行くべき
だったのでしょう。

ハン・ガン

「私の女の実」／『ひきこもり図書館』

斎藤真理子訳／毎日新聞出版

今日は「世界観光の日」。観光でいろんなところに行くのは楽しいですが、どこにも居場所を見つけられなくて、「ここより他の場所」を求め続けている場合は、なかなか大変です。この小説に出てくる母親は故郷の村で生まれ育ち、そこから動きませんでした。娘は母親のようになりたくなくて、村を出ます。地球の反対側まで行こうとします。でも、思うようにいきません。しあわせになれません。いったいどこに行けば自分は幸福になれるのか。そういう場所があってほしいものです。

（K）

永遠にみずみずしい
旅の核心は、
すっかり方向音痴になって、
どうしようかと慌てる
楽しみにある。

レイ・ブラッドベリ

「迷子の美学」／『ブラッドベリはどこへゆく 未来の回廊』

小川高義訳／晶文社

ブラッドベリが言うように、住み慣れたところが退屈になるから旅に出るということなのでしょう。だから、“どこにいるのか／どこに向かっているのかわからない”というのが旅の醍醐味になるわけですが、もう1つ付け加えておくと、“どうやって行ったらいいのか／辿りつけるかどうかすらわからない”という楽しみもあります。もう無理かなと諦めた瞬間、思いがけない出会いやなりゆきに助けられたり。やっぱり旅は人生と同じだなどと、決まり文句を口にしたくもなります。散歩と旅の秋に。 (S)

9/29

われらの狂気を生き延びる道を教えよ

オーデン

『オーデン詩集』
深瀬基寛訳／せりか書房

人類は、138億年前の宇宙の始まりまで解明するほどの賢さを持つ一方で、戦争などの愚かで自滅的な行為も行ってしまいます。個人レベルでも、賢明な選択をする一方で、自分でもよくないとわかっていることをやってしまったりします。人類全体にも個人にも、どこかに狂気が潜んでいて、ときにその狂気に飲み込まれて、どうしようもなくなってしまいます。その狂気を乗り越えて、どう生きていくのか？　その難問にぶつかるたびに思い出される言葉です。オーデンの命日に。

（K）

9/30

私たちが思い上がるのは、苦しんでいるときではない。苦しんだ経験があるときだ。

シオラン

『カイエ 1957-1972』

金井裕訳／法政大学出版局

苦しみを知らない人より、苦しんでいる人のほうが謙虚です。自分の弱さを知っているから。ところが、その苦しみを乗り換えると、一種の英雄になってしまいます。そうすると、一転、むしろ苦しみを知らない人以上に、思い上がってしまうことが。自分の経験をもとに、他の人のことを「甘い」と決めつけたり、苦しみを乗り越えられない人間を否定したり。そうならないよう、気をつけたいものです。この『カイエ』は日本翻訳文化賞、日仏翻訳文学賞を受賞。今日は「世界翻訳の日」。

（K）

10月

10／1

他人から見たら十人並みにも
見られるかどうかわからない程度の
女の子の顔に、
めがねがかけてあってもなくっても、
たいした変化ではないはずなのだが、
それが当人にとっては一大事なのであった。

円地文子

「めがねの悲しみ」／『生きるかなしみ』
山田太一編／ちくま文庫

このエッセイをアンソロジーに収録した山田太一はこう書いています。「この本に編ませていただいた円地文子さんの文章に、化粧して容貌を変える可能性のある女性は、装うことが業になってしまい、可能性のない男性は、おのれの現実を受け入れる他はないので、そのぶん心の平安を得やすいという意味の一節があるが、まことに可能性は魔性のものであり、それを捨てて諦めることは難かしい」。今では男性もこの心の平安を失ってきているかもしれませんね。今日は「メガネの日」。（K）

10/2

ティムには、〝ものを見る目〟が
自然と備わっていた。これは、
賢人たちが切望した才能にほかならない。
（ティム自身は、この才能が
特別なものだとは気づいておらず、
誰にでもできることだと思っていた）
もちろんこの才能があるからといって、
絵がうまくなるわけではまったくない。
この才能は彼にとって、
むしろ障害となっていた。

アイリス・マードック

『尼僧と兵士』

Penguin Books

ティムは凡庸なアーティストです。だからこそこのくだりは、創作に携わるすべての人の心を刺し貫くようです。世の中には、圧倒的にすばらしい創作物が満ちあふれています。でもそれに感動する才能と、それを生み出す才能とは別物という話なのですから。しかもここには、自分の才能にはなかなか気づきにくく、気づいたところで役には立たないかもしれないという二重の絶望があります。ただしその才能に気づき、ある種の諦めを経てそれを活かすことができれば、という裏腹の希望も。今日は美術を楽しむ日に制定されているそうです。（S）

[Iris Murdoch, *Nuns and Soldiers*]

10/3

（ああ、ついに、
登り得ずして
帰り来し、
山のすがたは
雲に消ゆ。）

金子みすゞ

「巻末手記」／『金子みすゞ童謡全集』

JULA出版局

金子みすゞは、生前は詩集が出せませんでした。童謡ブームが去り、投稿する雑誌もなくなっていきます。そういう中で、自分で手書きで三冊の詩集を作りました。これはその巻末に書かれた詩です。「心おどらず　さみしさよ」と書いています。夢はかなわず、このままあきらめるしかないという思いだったのでしょう。しかし、山の頂上に到達できた人も立派ですが、途中で挫折して帰ってきた人もまた魅力的ではないでしょうか。私はそういう人のほうが好きです。今日は「登山の日」。（K）

10／4

才能を疑い出すのがまさしく才能のあかしなんだよ。

ホフマン

「G町のジェズイット教会」／『ホフマン短篇集』

池内紀編訳／岩波文庫

才能ある青年が大画家になるべく研鑽を積むうちに、自分はただ手先が器用なだけなのではないかという疑問に苛まれはじめます。そんな彼に対して、かつての師がこの言葉を送ります。しかし青年にとっては気休めにもならず、やがては一筆も描けなくなります。自分の疑問に自分でかたちを与えてしまったわけです。そういうものにはなにがなんでも目を閉ざし、前進することだけに全力を傾けるべき局面も人生にはある、ということなのでしょう。今年も残り3カ月となったこの時期に。　(S)

10/5

思ひがけぬ心は
心の底より出で来る、
容赦なく且《かつ》
乱暴に出で来る

夏目漱石

『人生』

青空文庫

明治29年10月、第五高等学校の雑誌に書かれた随筆です。もし人生が数学的に説明できて、X＝というようなかたちで表せるなら、どんなに便利だろうと、夏目漱石は書いています。実際には、人生は計り知れません。それは、どんなことが起きるかわからないというだけではありません。思いがけないことが、自分の心の中からも起きます。たとえば、自分は冷静で道を踏み外さないタイプだと思っていたのに、恋愛に夢中になって社会的に破滅してしまったり。油断ならないのは自分です。（K）

10/6

呑気と見える人々も、
心の底を叩いて見ると、
どこか悲しい音がする。

夏目漱石

『吾輩は猫である』
青空文庫

1905年10月6日が初版の『吾輩は猫である』には、浮き世離れしたような変わり者ばかりが出てきて、ああでもないこうでもないと、無駄話をします。この無駄話が、なんとも言えず楽しい小説です。長い長いお話の最後に、いつものように人間たちの無駄話が終わったあと、急に猫がこの言葉をつぶやきます。呑気に見える登場人物たちも、心の底には、なにかしらの悲しみを秘めているのでしょう。それは読者もまた同じです。笑ったあとにやってくる、ふいのさみしさ。心にしみます。　(K)

10/7

不幸のうちに初めて人は、自分が何者であるかを本当に知る。

ツワイク

『マリー・アントワネット』上

高橋禎二、秋山 英夫訳／岩波文庫

10月7日は「舞鶴引き揚げの日」です。女優の南風洋子は満州からの引き揚げという壮絶な体験をして、「恐ろしかったのは、ソ連兵の暴虐と共に、同じ日本人の大人の酷薄さだった」「自分を犠牲にする人もいれば、あたりかまわず自分だけが大事という人もはっきりして来ました」と語っています。平和なときは、誰でも自分のことを良い人間だと思って生きていくことができます。しかし、追い詰められたとき、いったい何をしてしまうのか？　それは自分でもなかなか予想がつきません。　(K)

10/8

ねむらない
ただ一本の樹となって
あなたのワンピースに
実を落とす

笹井宏之

『えーえんとくちから』
ちくま文庫

短歌です。「あなた」というのは、恋人なのか、子どもなのか、もっとちがう誰かなのか、それはわかりません。「あなたのワンピースに実を落とす」というのは、さりげなく、必要なものを渡すのでしょう。相手は、たまたまと思うかもしれないけれど、じつは眠らずに見守ってくれている人がいるわけです。眠れないときには、無理に眠ろうとせず、一本の樹となって、誰かをそっと守っているんだと想像すると、かえって心が落ちつくかもしれません。今日は「十と八」で「木」の日。（K）

10/9

幸福な家庭は
どれも似たものだが、
不幸な家庭は
いずれもそれぞれに
不幸なものである。

トルストイ

『アンナ・カレーニナ』上

中村融訳／岩波文庫

とても有名な名言です。トルストイの家庭もかなり変わっていました。トルストイは自分の日記をいつも妻のソフィアに読ませました。夫婦の間に秘密があってはならないと。でも、その日記には、他の女性と関係したことが、ものすごくたくさん書いてあるのです。トルストイの妻は、世界三大悪妻のひとりとされているのですが、詳しく知ると、必ずしも彼女がよくないとばかりは言えません。トルストイの理想主義には、家族を傷つけてしまうところも。今日は翻訳者の中村融の誕生日。（K）

10/10

此頃は一体に学校の連れには
不快を感じてゐるんですが
一人はとても淋しいので困ります。
下らない友達の家へゆくにも
淋しくて走り出します、
街をあるくにも手をつないでくれと云つて
手をつないだりします。

梶井基次郎

手紙／『梶井基次郎全集』3

筑摩書房

ひとりでいたいか、人といっしょにいたいか、一方にはっきり気持ちが決まっていたら、ずいぶん楽でしょう。しかし、ずっとひとりでいると人恋しくなる、人といっしょにいると、ひとりになりたくなる。そういうふうに、多くの人は、矛盾する両方の気持ちを心の中に持っているのではないでしょうか。だから、よけいに人間関係がややこしくなります。梶井基次郎はそれが特に極端です。男友だちと手をつないで歩くというのは、今はあまりないことかも。今日は「手と手の日」。　(K)

10／11

彼女の人生全体が、抗《あらが》うことができず、ただ耐えることができるだけの不幸からなっていた。

カミュ

『カミュの言葉』

西永良成／ぶねうま舎

この「彼女」というのはカミュの母親のこと。1914年10月11日、カミュの父親は第一次世界大戦の戦場で亡くなります。そのショックで母親は難聴になります。カミュはまだ１歳になっていませんでした。母親は２人の子ども抱えて、家政婦をしながら、貧しくつらい生活に耐え続けました。とても寡黙で、椅子にじっと座って、床板の溝を見つめていたりしました。カミュは愛する母親のそういう姿を見ていました。カミュは著書の中で、世の中の不条理に「反抗」しろと言っています。（K）

10/12

見るまえに跳べ

オーデン

『オーデン詩集』

深瀬基寛訳／せりか書房

原文は「Leap Before You Look」。英語のことわざに「Look before you leap」（跳ぶ前に見ろ。つまり、行動する前によく考えろ）というのがあって、その逆を言っています。考えていると、だんだん不安がこみあげてきて、行動できなくなります。どうせ跳ばなければならないのなら、下を見ずに、思い切って跳べと。しかし、それがなかなかできません……。大江健三郎が短編小説のタイトルに使ったことで、有名になった言葉です。素晴らしい翻訳をした英文学者の深瀬基寛の誕生日に。　（K）

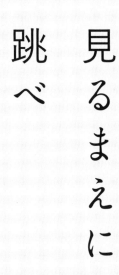

10/13

マイナスの経験を
した人は有利です。
してない人は、
人の気持ちが
わからなくなっている、
わかっていないことすら
気づかずに生きてしまう。

山田太一

「AERA」1994年10月31日号
朝日新聞出版

人間は自分が経験しないと、想像だけではわからないことがたくさんあります。マイナスの経験についてもそうで、私自身、病気をする前にはまるで気づいていなかったことが多々あります。弱さを経験することで、強いだけでは気づけないことに気づけます。足をケガして初めて道の段差や傾きや歪みに気づくように。何も気づかないまま、落語の若旦那のように、苦労知らずで一生を送れるのも、またいいことだとも思いますが。今日は「失敗の日」。フィンランド発祥で、失敗を笑ったり祝ったりする日です。 (K)

10／14

奇妙なことに、息子を、
妻や私自身とどうしても
結びつけることができない——

キャサリン・マンスフィールド

「何ごとも前ぶれなしには起こらない」／『絶望図書館』

品川亮訳／ちくま文庫

子どもはかわいい。親なら誰でもそう思うということになっています。しかし、本当にそうなのか？　なかには、かわいいと思えない人もいるのではないか？　それがずっと疑問でした。実子なら、自分の遺伝子を受け継いでいるわけで、つながっています。それでも、自分と何の関係もないとしか思えない子どもが生まれることもあるはずです。文学は、常識や通念からははみ出してしまう、そういう気持ちもちゃんと描いてくれます。今日はキャサリン・マンスフィールドの誕生日。

（K）

10/15

「人間の苦しみには際限がない。『もうこれで海の底へとどいた——これ以上深みに落ちることはない。』と考えていると、また更に深みに落ちて行く。こうして永遠に続くのだ。……苦しみも克服できるものだという私の信条の記録を残さないで私は死にたくない。（中略）私は仕事に向かわねばならない。私は自分の苦悶を何ものかに投込まねばならぬ。それを変化せしめねばならぬ（略）」

キャサリン・マンスフィールド

『生きがいについて』

神谷美恵子／みすず書房

マンスフィールドからもう1つ。精神科医であると同時に文筆家だった神谷美恵子の著書に引用された、日記からの言葉です。さまざまな理由から“生きがい”を失った人が、どのようにして生きることの側に踏みとどまり、“新しい生きがい”を見出していくのかを考える章に登場します。マンスフィールドは肺病を病み、健康と明るい家庭を夢見ながらかないませんでした。しかし、人生のすべてを受け容れれば苦しみさえ別のものに変えられると念じながら、“水晶のような短編の数々”を生み出しました。（S）

10/16

人間には選ばなければならない瞬間というものがあるんです。

自分の人生を充実させ、意志のままに、完全に生きるか、——それとも、社会の掟が押しつける偽善的な、うわべだけをつくろった、むなしい、堕落しきった生活を、いやいや続けていくかのどちらかを。

あなたにとって、今がその瞬間なのです。

オスカー・ワイルド

「ウィンダミア卿夫人の扇」／『ワイルド喜劇全集』

荒井良雄編、渡辺幸俊訳／新樹社

夫の浮気を疑うウィンダミア卿夫人。状況証拠は揃った、と怒り心頭の夫人に言い寄るダーリントン卿。その時の彼のセリフがこれ。他人ではなく自分に向けてこう迫る局面も、人生には訪れます。言葉そのものに嘘はありません。実際、夫人も“人生を充実”させると思えた方を選びます。しかし、その瞬間にそう見えた選択肢が必ずしも正しいとは限りません。現状から逃げ出したいだけではないのか？ という厳しい問いを、手軽に乗り越える方法はないわけです。ワイルドの誕生日に。 (S)

10/17

あきらめることができる、
というのは、
幸福なことだし、
美徳でさえある。

フォンターネ

『絶望書店 夢をあきらめた9人が出会った物語』

頭木弘樹訳／河出書房新社

ドイツの作家フォンターネが滞在先から妻に送った手紙です。今の世の中は「夢をあきらめないで」というメッセージで満ちています。もちろん、夢をあきらめずに努力することは素晴らしいことですし、夢がかなう確率も高くなります。しかし、それだけが本当に素晴らしいのでしょうか？　だとしたら、夢がかなわなかった人は、ただただ悲しいだけの存在になってしまいます。そんなことはないはずです。夢をあきらめることもまた素敵で魅力的なことのはずです。秋の日に。

（K）

10/18

グレアム・グリーンの
ことばが耳の奥で響いた。
人の苦しみを伝えたいなら、
それを経験する義務がある
――そういう趣旨だった。

ジョン・ル・カレ

『地下道の鳩』

加賀山卓朗訳／早川書房

2020年末に89歳でこの世を去ったル・カレの言葉を回想録から。遺作は、前年刊行（本国）の『スパイはいまも謀略の地に』（早川書房）でした。円熟した巨匠の枯れた逸品ではなく、むしろ若者による第1作目のような瑞々しい怒りに駆り立てられた作品です。思えば、ほとんどのル・カレ作品の底流には、現実世界のあり方に対する怒りがあります。そしてその怒りは、常に経験によって堅固な骨格を獲得していました。40年以上にわたる“経験の旅”に出ることを決めた瞬間の、作家の言葉がこれです。誕生日の前日に。　(S)

10/19

いまの時代に
遅れていても、
自分の時代に
忠実であればいい。

ジョン・ル・カレ

『ティンカー、テイラー、ソルジャー、スパイ[新訳版]』
村上博基訳／ハヤカワ文庫

冷戦期の英国情報部、その中枢にもぐり込んだソ連のスパイ。それをあぶり出すため、ひそかに引退生活から呼び戻されるのが主人公スマイリーです。ずんぐりした体型に分厚い眼鏡という地味な姿。しかし頭脳は明晰で、孤独に粘り強く仕事を遂行します。これはその彼の独白。年寄りの開き直りにも聞こえますが、粘り強さを支えているのが、この姿勢なのでしょう。いずれにせよ、変わり続ける“現代”にもまれながら、自分を見失わないでいるのは難しいことです。ル・カレの誕生日に。 (S)

10／20

季節《とき》が流れる、
城寨《おしろ》が見える、
無疵《むきず》な魂《もの》なぞ
何処《どこ》にあらう？

アルチュール・ランボー

「幸福」／『中原中也全訳詩集』

中原中也訳／講談社文芸文庫

15歳から詩を書きはじめ、20歳で止めたというランボー。文学に憧れた人なら一度は、ランボーの異常な早熟ぶりを見て絶望したことがあるのではないでしょうか。ゴダール映画をはじめ各所で引用されるこの詩の欠片からは、何かを理解したつもりになってもならなくても、いわゆる“青春”のひりひりする感覚がいつでも伝わってきます。この中原中也によるこの独特な訳は、原文から自由な距離を取っているようでいちばん近いように感じられます。ランボーの誕生日に。 (S)

10/21

あゝ！
心といふ心の
陶酔する時の
来らんことを！

アルチュール・ランボー

「最も高い塔の歌」／『中原中也全訳詩集』

中原中也訳／講談社文芸文庫

中也訳のランボーからもう1つ。「何事にも屈従した／無駄だつた青春よ／繊細さのために／私は生涯をそこなつたのだ」とはじまるこの詩の方が、全体としては「幸福」よりもわかりやすく読めるようです。ここでもまた、「内気なのはいいけど、人生でやりたいことができなくなるよ」と歌いかける、モリッシーの書いた曲が思い出されます。詩作を止めたランボーは、最終的に貿易商としてアフリカに渡ります。そんな人生の振れ幅の大きさの中にも勝手な“文学的空想”をかき立てられるわけです。 (S)

10/22

あゝ
おまへはなにをして来たのだと……
吹き来る風が私に云ふ

中原中也

「帰郷」／『中原中也詩集』

岩波文庫

故郷への思いは人それぞれです。故郷でずっと生きていく人もいますし、自分から出て行く人もいますし、いられなくなって出て行く人も。故郷に帰りたいと思う人もいますし、まっぴらだと思う人も。「ふるさとは遠きにありて思ふもの／そして悲しくうたふもの」と詠んだ室生犀星は、じつは後者だそうです。故郷に戻ったとして、歓迎される人もいれば、されない人もいます。中原中也の場合は、故郷を懐かしく思いながらも、受け入れてもらえないのでしょうか。今日はその命日。

（K）

10/23

ひとつ、どこか、

生きるうえで不便な、

生きにくいという部分を

守り育てていく。

わざわざ作る必要はないかもしれないが、

たいがいは自分に

そういうところはあるからね。

色川武大

『うらおもて人生録』

新潮文庫

「普通は、欠点はなるべく押し殺そうとするんだな。そうじゃなくて、欠点も、生かしていくんだ」と色川武大は書いています。「とにかくあまり流暢(すらすらと)に生きようとしないことだね」「生きにくくてなやむくらいでちょうどいい」。順調に生きるより、生きにくくて悩むほうが、人間が深くなるということでしょうか。色川武大にはナルコレプシーという持病があり、阿佐田哲也の名前で麻雀小説も書いていました。今日は東京で「世界麻雀選手権大会」が初めて開催された日。

(K)

10/24

菌臭は、死―分解の匂いである。
それが、一種独特の気持を落ち着かせる、
ひんやりとした、なつかしい、
少し胸のひろがるような感情を
喚起するのは、われわれの心の隅に、
死と分解というものをやさしく受け容れる
準備のようなものがあるからのように思う。
自分の帰ってゆく先のかそかな世界を
予感させる匂いである。

中井久夫

『家族の深淵』

みすず書房

人の家に感じられる独特の匂いは、家屋に棲み着いている菌の匂いなのだろう、“奥床しい”と感じられる家や森には“気持を落ち着ける菌臭がそこはかとなく漂っている”と続けられるエッセイからの言葉。現代生活では忌み嫌われる菌類ですが、いわゆる発酵系の匂いには「くさい」と言いながらつい嗅いでしまうところがあります。だから、菌臭には“鎮静効果”があると言われると、驚くよりも前に深く腑に落ちます。古びた本の匂いが落ち着くのもおなじ仕組みなのでしょう。森を歩く紅葉の季節に。 (S)

10/25

考える
ということは、
相違を忘れること、
概括すること、
抽象すること
である。

ボルヘス

「記憶の人・フネス」／『伝奇集』
篠田一士訳／集英社

この短編小説には、すべてを記憶する男が登場します。忘れる力がないと、モノと名前の関係すら理解しにくい。それは、アングルによって変化する形状をはじめとしたすべての差異を無視できなくなるからであって、そうすると考えることすら難しくなる、というお話です。これを最初に読んだ時には、“忘れられない”という何気ないことから出発した思考を徹底的に押し進めると、こんなに面白い風景にたどり着くのかと昂奮しました。小説の醍醐味の1つに出会ってしまったわけです。やはり秋に。　(S)

10/26

木も山も天気も、
人間とは違うしくみで
成り立って動いている。
それを毎日感じることができるだけでも、
普段「これしかない」と
思っている以外に
いくらでも世界があることを
知ることができる。

柴崎友香

「人間以外のもの」／『よそ見津々』
日本経済新聞出版社

若い頃には「やっぱり自然はいいなあ」という陳腐な言葉だけは吐きたくないと思っていたものですが、その頃から砂漠の景色にはどうしようもなく癒やされるものを感じていましたし、いつのまにか、書斎の窓から見える木々の緑が深みを増しては紅くなり、やがて枝だけになるという変化に進んで目を向けるようになっていました。木々も砂漠も、すべては“人間の頭の中から出てきたもの”ではない世界の存在を感じさせるが故に、引きつけられるのだと気づいたわけです。紅葉の時期に。　(S)

10/27

じいちゃんは悲しかったのだ。

生き残った人間は、

生きなくてはならない。

生きるためには、食べなくてはならない。

そのことが浅ましく口惜《くや》しかったのだ。

向田邦子

『向田邦子シナリオ集Ⅳ 冬の運動会』

岩波現代文庫

これはテレビドラマのナレーションです。愛する人を失って悲しんでいる老人が、何も食べようとしない。泣くことさえできずにいる。周りの人が心配して「食べなきゃダメだよ」「いま、バテたら、あしたのお葬式に出られないよ」などと言って無理にすすめる。ついに食べたとき、老人はボロボロと泣き出します。こういうときは、お腹が空くことが、食べ物が美味しいことが悲しいですよね。向田邦子や山田太一や倉本聰のテレビドラマは永遠の名作ですが、今日は「世界視聴覚遺産の日」。　(K)

10/28

反論し論破するために読むな。

信じて丸呑みにするためにも読むな。

話題や論題を見つけるためにも読むな。

しかし、

熟考し熟慮するために読むがよい。

フランシス・ベーコン

『ベーコン随想集』

渡辺義雄訳／岩波文庫

これは読書についての言葉。本を「情報を得るためのもの」と考えれば、最初の3つの読み方のいずれかになってしまうでしょう。その情報をありがたく信じるか、間違ったことが書いてあると反論するか、いい話題が見つかったと話の種にするか。しかし、本を「考えるためのきっかけ」と考えれば、ベーコンの言うような読み方ができるのかもしれません。本に書いてあることを吸収するのではなく、それをもとに自分の考えを育てる。そういう読書もいいのでは。「読書週間」（10月27日～11月9日）に。（K）

10/29

世の中は
金と女が仇《かたき》なり
どうか仇に
巡り会いたい

五代目三遊亭圓楽

「紺屋高尾」／『五代目三遊亭圓楽 特選飛切まくら集』
竹書房文庫

蜀山人という江戸時代の狂歌の名人の作がもとです。狂歌というのは、滑稽な短歌のことで、言葉の音の数が五・七・五・七・七になっています。最初の「世の中は金と女が仇なり」を聞いて、人生を金や女でしくじる男が多いですから、なるほどなあと思っていると、「どうか仇に巡り会いたい」と続き、笑ってしまいます。仇討ちというのは、仇を憎んでいますが、仇に巡り会いたいわけです。金や女というのも、憎んでいても、やっぱり求めているわけです。今日は五代目三遊亭圓楽の命日。

（K）

10／30

あのひとたちだって、
うるさいことはうるさいんです。
おしゃべりだってしたがります。
どこへ行っても、出くわします。
でもいっしょにいても、
ひとりっきりになれるんです。

トーベ・ヤンソン

『ムーミン谷の十一月［新版］』

鈴木徹郎訳、畑中麻紀翻訳編集／講談社

冬の近づく11月のムーミン谷。でも、ムーミン一家の姿はありません。谷を訪れた5人と、帰ってきたスナフキン。ミムラねえさん以外の訪問者たちは、みな満たされないものを抱えています。それで、図らずもなんとなく彼らに振り回されることになったスナフキンは疲れ果ててしまい、ムーミン一家と会いたくてたまらなくなります。“いっしょにいてもひとりになれる”友だちなんて、奇跡のように大切な存在です。11月がやって来て冬に入る直前に、そういう友だちの顔を思い浮かべるために。　(S)

10/31

自己礼賛の生を、

お前はいつまで送るのか。

存在《ある》と非在《ない》の探求に、

この生を過ごすのか。

酒をのめ。苦悩にむしばまれた人生は、

酔いか夢のうちに

過ぎていくのがいいのだ。

オマル・ハイヤーム

『ルバーイヤート』

岡田恵美子編訳／平凡社ライブラリー

こういう詩がたっぷり入っているので、『ルバーイヤート』は折に触れてひもときたくなります。ちなみにハイヤームは王朝に召し抱えられる中で天文台を建設させ、新たな暦まで作ったそうです。ところが王の死と共に公的な生活を離れ、読書や詩作の日々を送ることになったのだとか。私たちには想像もつかない浮き沈みですが、神による心の平穏を手放した現代人にとっても、ハイヤームの詩そのものが“美酒”の味わいを持つことはたしかなようです。冬の入り口に。 (S)

11月

11/1

「故郷を甘美に思う者は
まだ嘴《くちばし》の黄色い未熟者である。
あらゆる場所を故郷と感じられる者は、
すでにかなりの力をたくわえた者である。
だが、全世界を異郷と思う者こそ、
完璧な人間である」

エドワード・W・サイード

『オリエンタリズム』下

板垣雄三・杉田英明監修、今沢紀子訳／平凡社ライブラリー

サイードはキリスト教徒のパレスチナ人としてエルサレムに生まれ、その後アメリカに移住。狭間の狭間ともいえる場所で生きました。その彼が代表的な著作の中で引用した中世のスコラ哲学者の言葉です。“外国”に行けば“自分の文化”のことがわかるとはよく言われます。ならばどこにいても“外国”にいるのと変わらない距離を保てれば、もっともっといろいろなことがわかるようになるはず。さまざまな事情から“自国”を離れられない時期には、とりわけ重要な思考ではないでしょうか。サイードの誕生日に。　(S)

11/2

快適な暮らしの中で
想像力を失った人たちは、
無限の苦悩というものを認めようとはしない。
でも、ある、あるんだ！
どんな慰めも恥ずべきものでしかなく、
絶望が義務であるような場合が。

ゲーテ

『NHKラジオ深夜便 絶望名言』
頭木弘樹訳／飛鳥新社

1755年11月1日にはリスボンで大地震が起き、続けて津波が襲いました。「リスボン大震災」です。ポルトガルの美しい首都で、大きな商業都市だったリスボンは、廃墟となり、何万もの人が亡くなりました。その知らせは、ドイツのフランクフルトに住んでいた6歳のゲーテの耳にも届きました。ゲーテは大きな衝撃を受け、人生観が変わりました。ゲーテは基本的に希望に満ちた人ですが、しかし絶望も知っています。「絶望することができない者は、生きるに値しない」とまで言っています。（K）

11/3

昔、自分の家の
すぐそばにある原っぱで、
くり広げられる
小さな地獄の数々は、
それでもタフに
生き抜くことの喜びを
教えてくれました。

手塚治虫

『ガラスの地球を救え―二十一世紀の君たちへ』
知恵の森文庫

手塚治虫はこう書いています。「生命あるものの素晴らしさも、またどんな生き物にも必ず訪れる死についても、自然のふところでのびのびと遊びながら、子どもたちは体で知っていくことになるのです」「さまざまな生き物たちの死と生と出会って、生きることの喜びの裏側にある悲しみも、知らず知らず体の奥のほうで理解していくのです」。そういう意味で、身近に自然があるほうがいい、子どもの頃から小さな地獄に接しておいたほうがいいと語っています。今日は手塚治虫の誕生日です。（K）

11／4

あるとき本の中の
言葉や詩の一節が
ページから立ち上がり、
大きな翼を広げる。
読者も作者も、その言葉を
忘れることはない。

スティーヴン・クーシスト

「本書に寄せて」／『嗅ぐ文学、動く言葉、感じる読書──自閉症者と小説を読む』
R・J・サヴァリーズ／岩坂彰訳／みすず書房

「私の場合そのきっかけは、一〇代で命を落としかけるほどの重病を患い、病床で読んだD・H・ロレンスの詩だった」「後にロレンスが長く結核を患っていたことを知った。彼は危うい身体を持つ抒情詩人だった」とスティーヴン・クーシストは書いています。危うい身体を持つ作家が書いた言葉を、命の危うい状態で読んだ子どもが深く感動したのです。文学の言葉にはこういう瞬間があります。これを経験すると、文学が手放せなくなります。「読書週間」（10月27日～11月9日）に。 （K）

11／5

「目の見える人間は」
と、私はやっとのことで
言った、
「見えるという幸福を
知らずにいるのだよ」

ジッド

『田園交響楽』
神西清訳／新潮文庫

健康というのは不思議なものです。健康なときには、特に幸福とも思いませんし、ただ健康なだけでは人生に満足できません。ところが、いったん健康を失うと、健康ほど欲しいものはなくなります。健康を取り戻せさえすれば、すべてを差し出してもいいと思うほど。歩けるだけで幸福を感じる人はいませんが、いったん歩けなくなった後で、歩けるようになれば、どれほど幸福を感じるかしれません。そういう幸福を、失う前にも噛みしめて生きたいものです。今日は「予防医学デー」。（K）

11／6

同じ悩みを抱える者がいると知れば、
人は自分の運命にも
耐えることができるだろう。
この交響曲はわたしの魂の
もっとも正直な告白だ。
わたしの心の底からの叫びだ。
これにこたえてくれる人々は、
わたしと手を取り合って
泣こうではないか。

チャイコフスキー

『音楽家の伝記 はじめに読む1冊　チャイコフスキー』

ひのまどか訳／ヤマハミュージックメディア

泣くしかどうしようもないときが人生にはあります。そういうとき、いっしょに泣いてくれる人がいたら、それはとてつもなく大きなことです。それで問題が解決するわけではありませんが、どれほど心が救われるかしれません。そういう人がいるかいないかは、天と地と言ってもいいほどです。誰もいない場合は、文学や音楽がその代わりになってくれます。「この交響曲」というのは、チャイコフスキーの最後の交響曲である第６番『悲愴』のことです。今日はチャイコフスキーの命日。　（K）

11/7

一九一七年とはひとつの叙事詩であり、
冒険と希望と裏切りの、
ありそうにない偶然の一致の、
戦争と策謀の連続する一年だった。
勇敢さと臆病さの、愚行と笑劇の、
豪気と悲劇の一年だった。
新時代の野心と変化の、
ぎらつく光と鋼と影の、
線路と列車の一年だった。

チャイナ・ミエヴィル

『オクトーバー 物語ロシア革命』

松本剛史訳／筑摩書房

ソヴィエト連邦を成立させた武装蜂起〈十月革命〉はこの日に起こりました（当時ロシアで使われていたユリウス歴では10/25）。ソ連は1991年に崩壊するわけですが、それはまた別の物語であり、SF作家によって書かれたこの本では、不可能とされた“革命”を現実のものとした“驚異の物語”が語られます。思想と熱狂の一体化ほど危険なもののないことはご存知のとおりですが、それでもやはり日々の変わらない生活を重ねていると、大きくうねる物語の渦に飛び込んでみたくなる瞬間があるものです。（S）

11/8

人《ひと》の己《おのれ》を知《し》らざるを患《うれ》へず。
人《ひと》を知《し》らざるを患《うれ》ふ。

孔子

『論語新釈』

宇野哲人／講談社学術文庫

紀元前6～5世紀に生きた儒教の始祖、孔子およびその高弟の言葉を、孔子の死後にまとめたのが『論語』です。日常生活に定着している有名な言葉がたくさん出てくるからこそ、こういう本は避けたいという気持ちも湧きますが、自分なりに“効く言葉”だけを探してみると、（あたりまえだと怒られそうですが）意外と使える本です。ここに挙げたのは、自分が他人に知られていないことを気にするのではなく、むしろ自分が他人について知らないことのほうを気にしなさいという意味で、こう考えると気が楽になる場面は多そうです。冬に備えて。　(S)

11／9

之《これ》を知《し》る者《もの》は
之《これ》を好《この》む者《もの》に如《し》かず。
之《これ》を好《この》む者《もの》は
之《これ》を楽《たの》しむ者《もの》に如《し》かず。

孔子

『論語新釈』

宇野哲人／講談社学術文庫

『論語』からもう1つ。ただ知っているだけよりも、それを好きな方が強い。ただ好きなだけでなく、楽しめる方がもっと強いという意味です。たとえば読者の好みを調べ上げ、それに合わせて作った本よりも、自分が好きでたまらないテーマを選び、楽しみながら作った本の方が売れることはよくあります。もちろん逆もしばしば起こり、だからこそ“売れる本”を作るのは難しいのですが、それでも好きなものが売れてくれるとうれしいものですし、仕事の意欲もさらに湧いてくるもので、やはり好きなものを楽しく作りたいと考えてしまいます。　(S)

11/10

人間というのは変わらないものです。
将来この国がどんな試練に直面する時にも、
今と同じように、弱い人と強い人、
愚かな人と賢い人、悪い人と善良な人が
出てくることでしょう。だから、一連の出来事を
不正とみなし復讐を考えるのではなく、
そこから智慧だけを学び取ろうではないですか。

エイブラハム・リンカーン

「民主的な政府について」／『リンカーン全集』
Delphi Classics

リンカーンは1861年3月に大統領に就任し、4月には南北戦争がはじまりました。それから4年近くが過ぎても、戦争は続いています。そんな中、大統領選挙の時期に。当然、南部諸州は参加しません。しかしリンカーンは、選挙を中止しては“反乱軍”に敗北したことになると訴え、自身の共和党内だけでなく民主党のタカ派をもまとめ上げました。この演説は、再選を祝う祝賀会での挨拶です。1864年の今日、行われました。どんな戦いで勝利を収めた時にでも、有効な姿勢と感じられます。 (S)

[*Complete Works of Abraham Lincoln*
参考 :『リンカーン演説集』高木八尺・斎藤光訳／岩波文庫]

11/11

叔父のアレックスは今天国にいる。

彼が人類について発見した不快な点の一つは、
自分が幸せであることに気づかないことだ。
彼自身はというと、幸せなときに
それに気づくことができるようにと
全力を尽くしていた。

夏の日、わたしたちは
林檎の樹の木陰でレモネードを飲んでいた。
叔父のアレックスは会話を中断して
こう訊いた。
「これで駄目なら、どうしろって？」

カート・ヴォネガット

『これで駄目なら 若い君たちへ――卒業式講演集』

円城塔訳／飛鳥新社

夢や希望や予定に夢中になると、目の前が見えなくなり、余計なことにあくせくしたりするものです。これはいろいろな物語が教えてくれる真実であり、他人のことなら忘れることもないのですが、どうしても自分のこととなるとわからなくなってしまうものです。そこで、ふだんから脈絡なく「これで駄目なら」と口に出す癖を身につけておくのはどうでしょう？ 目の前のもので自分を満足させ、ちんまりまとまるためではありません。むしろそこから飛び出ようというときに、有効な呪文ではないでしょうか。ヴォネガットの誕生日に。 (S)

11／12

二度と戻って来るはずのないもののうちで、私に戻って来るもの、それは匂いである。

ロラン・バルト

『彼自身によるロラン・バルト』

佐藤信夫訳／みすず書房

哲学者バルトが、自分自身について書いた本からの一節です。プルーストの『失われた時を求めて』ではお菓子の味が記憶を誘い出すわけですが、バルトの場合はそれが嗅覚なのだとか。目の前にある食べ物や自然の香りに陶然とさせられるということではなく、目の前にないものが匂いをとおしてありありとよみがえるという話です。自分にとってこういう機能を果たす感覚はどれなのか。それを見つけておくと、この世界の有様を、時空を越えて楽しめるようになりそうです。バルトの誕生日に。　(S)

11/13

バクチでもいいから
手を使えと
孔子が
いってるよ（中略）。

開高健

『開口閉口』2

毎日新聞社

少年時代の作家が、終戦直後の大阪にあった闇市の混沌と映画館の暗がりの中に紛れ込むことでいかに救われたか、その記憶をたぐるエッセイの最後に出てくる言葉です。作家石川淳に教えられたのだとか。たしかに、手を使ってなにかをすることには、どこか煮詰まり、“おぼろな憂鬱”を抱えている時などには絶大な効果があります。手を使うとは言っても、ただぶらぶらと路地裏を彷徨ったり、とにかく何の役にも立たないことをしてみるだけで十分なわけです。冬の訪れを感じ、すこし気分が重くなるこの時期に。　(S)

11/14

「なにが見つかるかは、
わからないけど」
ピッピはいいました。
「いつもなにかは
見つかるのよ（略）」

アストリッド・リンドグレーン

『長くつ下のピッピ』

イングリッド・ヴァン・ニイマン絵／菱木晃子訳／岩波書店

9歳のピッピは、チンパンジーのニルソンさんと馬と一緒に、好きなように生きています。隣家のアニカとトミーは、そんな彼女と遊ぶのが楽しくてしかたありません。この日ピッピは、“ものさがし屋”の仕事に出かけます。ピッピに言わせると、探せばありとあらゆる“もの”が見つかります。そして見つけたものがガラクタに見えても、“いろんなこと”に役立つのです。視線を変えさえすれば世界の様相は一変し、楽しい冒険と発見でいっぱいになるということ。リンドグレーンの誕生日に。　(S)

11/15

非道と可能性と野望の
帝国があった。
あの帝国が再び
戻ってくるのが、
私には待ちきれない。

J・G・バラード

『J・G・バラードの千年王国ユーザーズガイド』
木原善彦訳／白揚社

バラードは上海に生まれ、第二次世界大戦がはじまると日本軍の収容所に入れられました。この一節で語られているのは、“最盛期の上海”の姿です。現代を生きる“高級な読者の目”にはどれほどひどく映る街であっても、バラードにとっては強烈な魅力を放ち続ける原風景なのです。しかし、幼少期をそういう混沌の中で過ごしたという経験がなくても、すみずみまで清潔な社会で生きていると、たまにはこういうセリフを吐きたくなる瞬間もあるのではないでしょうか。バラードの誕生日に。（S）

11/16

未来があるかどうかは
わからないけど、
いまだいじなのは、
どうやって
現在を生きていくかよ。

ジョゼ・サラマーゴ

『白の闇』

雨沢泰訳／河出文庫

ポルトガルのノーベル賞作家によるこの小説では、謎の感染症が蔓延し、都市の住民ほぼ全員の視力が失われます。文明の崩壊した世界の中で、症状の出ていない“医者の妻”を軸とした集団が生き残りを模索するのですが、これはその彼女の言葉。“目が見えている”という特権を独占する暴君にならないようにと、この人はあくまで慎重に“物事を整えて”いきます。思索は重要ですが具体的な行動こそが必要な局面もあり、指摘されなければそれが今だと気づかないこともままあります。サラマーゴの誕生日に。 (S)

11/17

そう疲れるはずはないのに、
ひどく疲れたような
感じである。
今日一日、何をしたか？
何もしはしない。

中島敦

『狼疾記』

青空文庫

1942年11月が初出の自伝的な作品です。今日一日、これといったことはしていないのに、ひどく疲れたように感じることって、ありますね。むしろ、何もなかった、何もしなかった日だからこそ、ひどく疲れを感じてしまうのかもしれません。人生は有限ですから、無為にすごしてしまうと、心にこたえるのでしょうか。中島敦は初期にはこうした哲学的な身辺小説を書いていましたが、その後、『山月記』『李陵』など中国に題材をとった小説や、南方を舞台にした小説を書くようになります。（K）

11/18

「悲しみの真ん中にいるときには、
いつか悲しくなくなるとは想像できない。
だが幸福の真ん中にいるときには、
それがすぐに終わってしまうと
いつもわかるんだ」

トーン・テレヘン

『おじいさんに聞いた話』

長山さき訳／新潮社

ロシア革命時にオランダに亡命したおじいさんが孫の「ぼく」にしてくれるお話。ほのぼのしているのかと思ったら、これがなかなか暗く、ハッピーエンドではない。なぜなら「これはロシアのお話だから」。でも、どこか不思議なユーモアが漂う。この言葉も、つい笑ってしまいますが、たしかにその通りですよね。悲しいときは、この悲しみがいつか晴れるとはなかなか思えません。でも、幸福なときは、ずっとこんな幸福ではいられないとわかっています。トーン・テレヘンの誕生日に。 (K)

11/19

読んでわかったばかりが、読む面白さでない。

古井由吉

「いつもそばに本が」／『楽天の日々』

キノブックス

読書というのは、情報吸収のためだけの手段ではありません。このエッセイにあるとおり「本に触発されて自分が一時でも自分からひろがり出る、そこに妙味はある」のです。たとえ読んだこと自体を忘れてしまっても、なにかの折に本から得たものがよみがえることもあるし、よみがえらなくてもいい。「本も人の中で眠るうちに育つ」のだから、という話です。読み終えてしばらくしてから、自分の内側が組み替えられていたと気づくような作品を書き続けた小説家、古井由吉の誕生日に。　(S)

11／20

結婚しなくとも
生きて行けるのに
結婚する人間の行為は、
つまずきもしないのに
倒れる人間の行為と
同じである。

トルストイ

『トルストイの言葉』

小沼文彦訳／彌生書房

今日はトルストイの命日。家庭不和のため、82歳の高齢で家出をして、途中の小さな駅で亡くなりました。結婚についてこうも書いています。「結婚なんて決してするものではない。（中略）そうでないと、とんでもない、取り返しのつかない失敗をすることになる。（中略）君のもっている美しい、気高い資質がすっかり駄目になってしまう。くだらないことのためになにもかも使い果たされてしまう」。世界的な名声、才能、お金、健康、すべてを手にしましたが、家庭円満だけは別でした。

（K）

11/21

人生は難しいゲームです。
つねに新しいカードを
引き続けなければならず、
しかも、
どのカードが切り札なのか
わからないのです。

クライスト

『クライスト全集』2

Carl Hanser Verlag

姉のウルリケへの手紙の一節。人生をゲームにたとえる人はいますが、続きが素晴らしいです。「つねに新しいカードを引き続けなければならず」。たしかに人生は選択の連続です。「しかも、どのカードが切り札なのかわからないのです」。ここが人生の決定的につらいところです。ゲームなら切り札は決まっているわけですが、人生の場合はどれがいいカードなのか、すぐにはわかりません。切り札がわからないまま、それでも引き続けなければならないのが人生です。クライストの命日に。（K）

［HEINRICH VON KLEIST, *SÄMTLICHE WERKE UND BRIEFE II*］

11/22

みんなみんなあはれです。
かあいさうです。
かあいさう、かあいさう。

宮沢賢治

「猫の事務所」／『新校本 宮澤賢治全集』9
筑摩書房

『猫の事務所』は、1匹の汚れた猫にみんなが冷たくしているのを見て、獅子が「お前たちは何をしてゐるか」「えい。解散を命ずる」と怒るお話です。作者の「ぼくは半分獅子に同感です」というのが最後の一文です。なぜ半分だけなのか？　『猫の事務所』の草稿が「初期形」として全集に収録されています。そこではラストがこうなっているのです。パワハラや差別の、被害者だけでなく、加害者も、黙認した者も、全員がかわいそうと、宮沢賢治は言っています。今日は「ペットたちに感謝する日」。

（K）

11/23

不思議なことに、
退屈が
きわまった時よりも、
行間に
惹きこまれかけると、
睡気《ねむけ》が染み出してくる。

古井由吉

「招魂としての読書」／『楽天の日々』

キノブックス

古井由吉のエッセイ集からもう1つ。これは、実は映画でも起こる現象です。作品に入り込めず退屈しきっているような時には、かえって眠くなりません。もちろん体調によってはいつでも眠くなりますし、眠くなるかどうかで作品の良し悪しを判断できないのは当然として、眠くなったからといって、“自分はその作品を好きになれなかった”と判断するのはもったいないということです。11/19の言葉にもありますが、内容を理解し、おぼえていることがすべてではありません。 (S)

11/24

たぶん、魔法の第一歩は、
『きっといいことが
起こる』と口に出して
言ってみることだと
思うんだ。
実際にそういうことが
起こるまで。

フランシス・ホジソン・バーネット

『秘密の花園』

土屋京子訳／光文社古典新訳文庫

愛情以外のすべてを与えられて育ち、小さな暴君となったメアリは、両親が亡くなり伯父の家に引き取られることになります。同じ屋敷には病弱な従兄弟のコリンが住んでいて、彼も孤独に生きています。しかしある日、メアリは“秘密の花園”を見つけます。荒れ果てた庭の世話をはじめた彼女は、コリンも誘い込みます。すると世話をすればするほど庭の自然はよみがえり、気づくと彼らの方も大きく変化を遂げているというわけです。それこそがこの花園の魔法で、それについて考えたコリンの言葉がこれ。バーネットの誕生日に。 (S)

11/25

今日は死ぬのにもってこいの日だ。
生きているものすべてが、
わたしと呼吸を合わせている。
すべての声が、わたしの中で合唱している。
すべての美が、わたしの目の中で
休もうとしてやって来た。あらゆる悪い考えは、
わたしから立ち去っていった。
今日は死ぬのにもってこいの日だ。

ナンシー・ウッド

『今日は死ぬのにもってこいの日』
金関寿夫訳／めるくまーる

毎年この時期、感謝祭(11月第4木曜日) の翌日の金曜日には「アメリカインディアン遺産記念日」があります。アメリカインディアンの伝統文化や言語などの遺産を再認識するための日。そこで、アメリカインディアンの人生哲学が味わえる詩画集から名言を。「死ぬのにもってこいの日」という表現は、なんだかおそろしい気もしてしまいますが、この言葉には、死に対する不安や恐怖がまったく感じられません。たしかに、このような気持ちで死ねるとしたら、素晴らしいことかもしれません。私たちとはちがう考え方で、だからこそ心ひかれます。(K)

11/26

ごろんと寝られる
一角もあるし
まったり過ごせる
場所もある。
狭い家だけど、
不満なんて
全然ない。

鴨長明

『ネコと読む『方丈記』に学ぶ〝人生を受けとめる力〟』

高寺あずま文、野田映美絵／文響社

随筆『方丈記』は13世紀前半に書かれました。政治的には不安定、しかも大きな自然災害が次々と起こった時期です。その中から印象的なくだりを現代語に“超訳”しながら読み解くのがこの本。我慢を重ねながら世間を生きた長明は、60歳手前で四畳半の小屋に移り住みました。どんな場所にいても、余計な執着心を手放すことさえできれば心穏やかになれるというのです。なかなか実行できることではありませんが、こういう心の持ち方もあると知っておくだけで、少し気が楽になるようです。秋の深まる時期に。　(S)

11/27

けふのうちに
とほくへいってしまふわたくしのいもうとよ
みぞれがふっておもてはへんにあかるいのだ
（あめゆじゆとてちてけんじや）

宮沢賢治

『永訣の朝』
青空文庫

「永訣の朝」は、大正11年11月27日に亡くなった妹のとし子（本名トシ）を悼んで詠まれた美しい詩で、宮沢賢治の代表作のひとつです。とし子24歳、賢治26歳。「あめゆじゆとてちてけんじや」は「雨雪を取ってきてちょうだい」という意味で、妹が賢治に頼んだ言葉がそのまま使われています。その日は、みぞれが降っていたようです。この詩はパブロ・カザルスが弾いている「G線上のアリア」を聴きながら書かれたとも言われます。朗読すると、ちょうど曲の長さと同じになるそうです。（K）

11/28

一般に、旅というものは
空間的な移動として考えられる。
しかし、それは大したことではない。
旅は、空間にも時間にも
社会秩序にも関わるものである。

レヴィ＝ストロース

『悲しき熱帯』上

川田順造訳／中央公論社

人類学者による紀行文学だと思いながらページを開くと、いきなり、旅と探検家は嫌いだという有名な宣言に出会い、心をつかまれます。はるかな時間と空間を移動し続けるこの本には、冒頭部分だけでもたっぷり１冊以上の陶酔、と呼びたくなるような読書体験が詰まっています。付箋を立てるところはいくらでもありますが、“旅好き”としてお守りのように抱えておきたいのがこの言葉です。“私の楽しい旅行”を成立させている諸条件への冷静な視線は欠かせません。レヴィ＝ストロースの誕生日に。　(S)

11/29

人類をはってんさせるほどの
大発見ではありません。
小さい、小さい、発見でしたが、
ひろ子にとっては、
むねのどきどきするような
発見でした。

古田足日

『モグラ原っぱのなかまたち』

田畑精一絵／あかね書房

〈モグラ原っぱ〉は、住宅地のはずれにある空き地です。草むらがあって虫がいて、ちょっとした崖やボートを浮かべられる池まであります（でもモグラは出ません）。学校や家のように閉ざされていない、広い世界そのものです。だれもが冒険に繰り出せて、人はそういう発見をするためにこそ生きているのだ、と言いたくなるような“小さな発見”を積み重ねられる場所です。別の見方をすれば、まだ大人の社会のつまらない仕組みにのみ込まれていない、儚いユートピアとも言えます。作者古田足日の誕生日に。（S）

11/30

人は想像力の
焦点がずれている
ときには、
目に頼ることも
できないのだ。

マーク・トウェイン

『アーサー王宮のヤンキー』
大久保博訳／角川文庫

19世紀末のアメリカ人が、アーサー王時代(5世紀終わり頃）のイングランドにタイム・スリップするという小説です。『トム・ソーヤーの冒険』を書いた人ですから、風刺とユーモアがたっぷりと全編に効いています。この言葉は終盤、主人公が敵方の動きを探るくだりに出てきます。人はそれでなくても見たいものだけを見たり、見たくないものは見なかったりしがちなのに、そこへピントのずれた想像力が加わったら危険この上ありません。しかもそういうことは、日常でも頻繁に起こることだったりします。トウェインの誕生日に。　(S)

12月

12/1

映画が語るということは
映画演出の才能がないと
出来るものではない。
同時に本当に映画に
おぼれきっていないと
出来るものではない。
もうひとつはつねひごろ
ほんとうに映画を勉強していないと
出来るものではない。

淀川長治

『映画監督愛』
河出書房新社

タイトルどおり、“愛”がぎっしりと詰まった本です。この一節は、台湾の侯孝賢《ホウシャオシェン》監督による『冬冬《トントン》の夏休み』について書かれた文章に出てきます。別の文章では、イランのアッバス・キアロスタミ監督による『オリーブの林をぬけて』について、観てから時間が経っても“まだいいな、まだいいなでちっともいいなが消えない”という表現が使われていて、深く胸に落ちます。読めば読むほど、こういう映画に出会いたい気持ちに火が点きます。今日は、日本で最初に映画が一般公開されたことを記念する映画の日なのだそうです。 (S)

12/2

わたしたちのうちにある
一番よいもののために死にたい、信じているもの、
これまで戦ってきたもののために死にたいんです。
阿呆みたいにして終わりたくない。
あの哀れな連中というのは
この地上で一番価値あるものを代表しているんだ、
それは、苦しみが反乱したものなのです。

マリオ・バルガス＝リョサ

『世界終末戦争』
旦敬介訳／新潮社

19世紀末ブラジル、辺境の地カヌードスで独自の共同体を形成していた貧しく虐げられた人びとが、迫害に抗い反乱を起こします。その史実を題材としたのが、ノーベル賞作家リョサによるこの小説です。この言葉は、理想のための戦いに人生を捧げてきたスコットランド人ガルが、信条を吐露したもの。たとえ彼を導くものが狂信だったとしても、必敗の戦いに乗り込んでいく孤独な人間の姿にはやはり惹きつけられるものがあります。この作品はそういう人たちで一杯です。奴隷制度廃止国際デーに。 (S)

12/3

咳がやまない
背中を
たたく手がない

山頭火

『山頭火句集』

ちくま文庫

山頭火はひとりで旅をしながら俳句を詠んだことで有名です。「分け入つても分け入つても青い山」という句もよく知られています。孤独が平気な人でも、現実問題として、孤独がつらくなるし困るのが、病気になったときです。旅先ではなおさらです。咳がやまないとき、自分で自分の背中はたたけません。ひとり暮らしで、熱を出して寝込んで困ったことのある人も少なくないでしょう。もっと重い病気になれば、なおさらです。尾崎放哉にも「咳をしても一人」という句があります。今日は山頭火の誕生日。（K）

12／4

山のあなたの空遠く
「幸《さいわひ》」住むと人のいふ。
噫《ああ》、われひとと尋《と》めゆきて、
涙さしぐみ、かへりきぬ。
山のあなたになほ遠く
「幸《さいわひ》」住むと人のいふ。

カール・ブッセ

『海潮音』
上田敏訳／青空文庫

最初のところは有名ですが、続きは知らない方も多いのでは。内容を簡単に言うと、「山のむこうに幸福があると言われて、行ってみたけど、なくて、泣いて帰って来たら、山のむこうのもっと遠くにあるんだよと言われてしまった」ということです。なかなかきつい内容です。人によって、山のむこうに行きたい人と、山のこちらに留まる人と、両方があると思います。だから、人類は世界中に広がって、厳しい環境の地域にもずっと住み続けているのでしょう。カール・ブッセの命日に。

（K）

12／5

待つ身が
辛いかね、
待たせる身が
辛いかね。

太宰治

『太宰と安吾』

檀一雄／バジリコ

昭和11年の12月、太宰治と檀一雄が熱海に逗留し、飲み代や宿代が払えなくなってしまい、仕方ないので檀を人質として宿に残し、太宰が東京にお金を借りに行きます。まさに『走れメロス』です。ところが何日たっても太宰治は戻って来ません。戻らないメロスです。とうとう借金取りを連れて、檀が太宰をさがします。すると、井伏鱒二の家で太宰はのんきに将棋を指していました。檀は「何だ、君。あんまりじゃないか」と怒鳴りつけました。そこで太宰が言ったのが、この言葉です。　（K）

12/6

永遠を時間的な
永続としてではなく、
無時間性と解するならば、
現在に生きる者は
永遠に生きるのである。

ウィトゲンシュタイン

『論理哲学論考』

野矢茂樹訳／岩波文庫

「世界は成立していることがらの総体である」にはじまり、「語りえぬものについては、沈黙せねばならない」で終わる、あまりにもカッコいい哲学書の末尾近くに出てくる言葉です。この本全体の中でのこの一節の意味を理解できているとはとうてい思えませんが、それでも、おそらくルソーの言葉(6/28)と同じことを言っているのではないかとは感じられます。1年も残り少なくなり焦りも生じるかもしれないこの時期に、過去と未来に意識を伸ばしすぎることを止めて、“現在”に集中するために。　(S)

12/7

何かの瞬間を待つことの不安やおびえや喜び、
何かを思い出すことの喜びや怒りや後悔が、
時の流れと共に、自分の人生と共に
揺れ動いているという「実感」が無ければ、
私たちは生きてはいないわけで、
猫のまどろみの持つ永遠の瞬間という時間を
同時に持っていなければ、それもまた、
生きている、とは言えないのです。

金井美恵子

『待つこと、忘れること？』

金井久美子絵／平凡社

幸福についてのルソーの言葉(6/28)と、永遠の生についてのウィトゲンシュタインの言葉(12/6)は、理屈としてはわかるけどそれだけかなあ、と感じる時に腑に落ちたのがこの言葉です。“永遠の瞬間を生きている”動物(ここでは特に猫)には、“「待つこと」と「思い出すこと」”が欠けているが故の自由さがあって、そこに人は惹かれる。それでも——とこの言葉につながるわけです。待つことも思い出すことも心をかき乱しがちな要素ですが、それでもやはりざわざわする“実感”と無時間の平穏の間で幸福を探す他ないということのようです。 (S)

12/8

神秘とは、世界が
いかにあるかではなく、
世界があるという
そのことである。

ウィトゲンシュタイン

『論理哲学論考』
野矢茂樹訳／岩波文庫

『論理哲学論考』からもう1つ。これもまた論旨と無関係に取りだしてみただけで、危険なほどいろんなことが頭の中に湧き上がります。“世界がある”という言葉1つを取っても、そこから起動する感覚に引っかかってくるものは無限にあります。たとえば“さっき自宅にいたのに今は映画館にいる。その間に一体何が起こったのだろう”と考え、今度はすべての瞬間をあまさず認識し記憶しながら行動してみたくなったり。その時に積み上がる世界を眺めたら、“神秘”としか思えないという気分になるのではないでしょうか？　(S)

12/9

君は自分だけが
一人坊《ひとりぼ》っちだと思うかも
知れないが、
僕も一人坊っちですよ。

夏目漱石

『野分』
青空文庫

ひとりぼっちだなあと感じるとき、「自分」と「他の人たち全員」というふうに2つに分けて考えてしまいがちです。みんなはつながっているけど、自分だけは孤立していると。でも、そのみんなの中にも、じつはたくさんのひとりぼっちがいます。ひとりぼっちどうしはつながっていないので、それぞれにひとりぼっちですが、それでもたくさんいるのです。そういう意味では、決してひとりではありません。少なくとも気持ちをわかってくれる人はたくさんいます。今日は漱石の命日。（K）

12/10

他人から
支配されないように
するのは、
他人を支配するより
むずかしい。

ラ・ロシュフコー

『箴言集』

武藤剛史訳／講談社学術文庫

いかにもフランス的な“底意地の悪い”言葉が詰まった本です。それはもう爽快なまでの意地悪さなのですが、ラ・ロシュフコーは“戦いと陰謀”に明け暮れた前半生での絶望を経てこの境地にたどり着いたといいますから、自分自身のことをも、人々を見下せるような安全圏には置いていません。たとえばここに挙げた言葉にしても、そうとわかっていても、実際に支配されないようにするのはむずかしいという、堂々巡りをはらんでいます。だからこそ、いつでも念仏のように唱えておきたくなります。特に、年の瀬を迎えるこの時期には。　(S)

12/11

知性はいつも心に騙される。

ラ・ロシュフコー

『箴言集』

武藤剛史訳／講談社学術文庫

ラ・ロシュフコーからもう1つ。人は絶望的な、あるいは閉塞した状況にある程度以上の期間置かれると、気がラクになりたいがために、わかっていてもウソを信じることがあります。「理屈ではわかっているけれど……」というやつです。あるいは、嫌いな人の言うことだからと、真実を含んでいるかもしれない情報を頭から退けたり。とにかく、なにかについて評価や判断をするときには、必ず頭の中で唱えたいと感じる念仏系の言葉の1つです。もちろんそれでも「騙される」のですが。

(S)

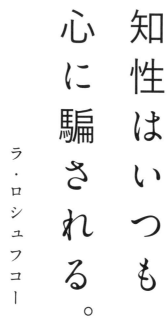

12/12

僕は、思い切って
その知らない
二人の男性に
聞いてみたのだ。
「僕の顔、
おかしいですか？」

内田かずひろ

『ロダンのココロ　いろはのきもちクリニック』
日本文芸社

電車の中などで、誰かが自分のことを笑ったように感じたことはありませんか？　そういう経験がある人、けっこう多いのでは。私もあります。でも、相手に「笑いましたか？」と聞いたことのある人は、逆にほとんどいないのでは。なんと内田さんは、それを聞いたのです！　しかも何度も。それでどうなったかは、ぜひ本で。朝日新聞などに連載された、犬のロダンが主人公の４コマ漫画『ロダンのココロ』の作者が、自分の心の問題について語った本です。毎月12日は「ワンニャンの日」。（K）

12/13

むだなもの、無用なもの、
よけいなもの、多すぎるもの、
何の役にも立たないもの、
それがわしは好きだ。

ビクトル・ユーゴー

『レ・ミゼラブル』

豊島与志雄訳／岩波文庫

会社は効率化をはかり、個人も断捨離をする、無用なものに厳しい世の中になりました。江戸時代の小話にこういうのがあります。あるお店の主人が、従業員を１人減らしたところ、なんとかなった。さらに減らしてもなんとかなった。ついに夫婦２人でもなんとかなった。妻を離縁してもなんとかなった。「どうやら俺もいらないらしい」と、どこかにいなくなってしまった……。むだなもの、よけいなもの、何の役にも立たないモノや人を、もう少し愛してもいいのでは？　今日は「大掃除の日」。（K）

12/14

その時までは、
「日々の力」を信じて行くより
ほかはないと思う。
不毛に見える努力が
そうでなかったかどうかは、
あとから初めて分かることである。

中井久夫

『「つながり」の精神病理』
ちくま学芸文庫

精神科医中井久夫が、医学生の卒業後研修について書いた文章から。ある技術をマスターする時、突然スイッチが入っていろんなものが“見え”出す瞬間がやって来る。だから、日々の努力を重ねている中で、これでいいのだろうか？ との疑いが頭をもたげても、“その時”までは自分を信じ続けるほかないというお話です。もちろん、一度離陸してからも次なる壁は立ちはだかるわけですが。1年を振り返り、“今年もあっという間に終わる。なんにもできなかったなあ”と感じるかもしれないこの時期に。 (S)

12/15

人間は安全な沿岸航海をして
一生を終わるのが
最高の生き方とは言えない。
生命を賭して沖に乗り出すことに、
人間はみずからの生の意味づけを、
生きがいを見出してきた。

それはむろん外面的な行為のみならず、
愛といった内面的な冒険にも
あてはまる事柄である。
しかし、そのことが可能であるためには、
日常的な正常さを正しく評価して、
それを静かに整えることが
重要だと私は思う。

中井久夫

『働く患者』

みすず書房

中井久夫からこの時期にもう1つ。現代社会に生きる私たちは、過酷なまでの“機能的正常さ”を要求されている。その“正常さ”にはある“非情”な、もしくは“異常”なものがないだろうか？ という問いかけを受けての言葉です。最初の一文からは過激な印象を受けるかもしれませんが、“冒険”に乗りだし“生きがい”を見出すためには、社会の要求する“正常さ”からは距離を置きながらも、“ごくふつうの意味の正常さ”とは何かを見きわめ、日常を“静かに整える”ことが大切、という話ならとてもよくわかります。 (S)

12／16

生きぬけ。
つまり、
最後まで行きつくんだ。
そのとき、
はじめて理解ができる。
途中じゃわからない。

フィリップ・K・ディック

『ゴールデン・マン ディック傑作集』③
浅倉久志他訳／ハヤカワ文庫

ディックの作品はいろんな印象を与えます。当たり前と思っている世界のあり方を根本から揺るがされるという意味では、“怖い”という形容詞もその中に入るでしょう。でもこの本のまえがきに詰まっている真摯なやさしさには、思わず目頭が熱くなります。世界は酷いことでいっぱいだしそのことには激怒しているけど、最後まで生きてみなければわからないよ。あなたはきっと苦境を切り抜けられるのだから、と私たちに語りかけてくるのです。ディックの誕生日に。 (S)

12／17

全体を眺めてはっきりとわかった。
どれほどみじめな境遇の中にも、
神に感謝したくなるような良いことがある。
良いことと悪いことの表を作ってみると、
かならず良いことの欄にも
書き込めることがある。
どんな状況にもなぐさめはあるのだ。
これは、この世で最もみじめな状況を
経験した人間の教訓として記しておきたい。

ダニエル・デフォー

『ロビンソン・クルーソー』

Wikisource

無人島に流れ着いたロビンソンは、そこで28年間自給自足の生活をします。子どもの頃にはワクワクする冒険譚として楽しんだわけですが、途中から“従僕”ができるとはいえ、一人ですごすにはあまりにも長い年月です。実際ロビンソン自身も早い段階でガックリきて、“良いこと”と“悪いこと”を数え上げます。その結果到達したのがこの結論。こういう境遇の人に言われれば説得力があるというもの。年の瀬がちらつきはじめるこの時期に。 (S)

［Daniel Defoe, *The Life and Strange Surprising Adventures of Robinson Crusoe*
参考：『ロビンソン・クルーソー』唐戸信嘉訳／光文社古典新訳文庫］

12/18

自分がしたことを誇るのもよかろう。
だが、それよりも私たちは、
自分がしなかったことを、
大いに誇るべきではなかろうか。
その種の誇りを、ぜひとも創り出すべきだ。

シオラン

山田太一「シオラン」／『冬の本』
出口裕弘訳／夏葉社

「冬」と「本」をテーマに84人の著者が書き下ろした文章が集められている『冬の本』。冬に読みたい1冊です。その中で、山田太一がシオランのこの言葉を紹介しています。今年1年、みなさんは何をしたでしょうか？　これということは何もできなかったという人もおられるかもしれません。でも、誇るべきは、したことだけではありません。今年1年、あなたは何をしなかったでしょうか？　そう考えてみると、「こういうことはしなかった！」と、誇れることが見つかるのでは？　(K)

12／19

先になったら、
話なんか
ぜんぜん違って
きちゃうんだよ。

J・D・サリンジャー

『キャッチャー・イン・ザ・ライ』

村上春樹訳／白水社

親しくなった人たちとおしゃべりをしているうちに、近いうちにあれをしよう、これをしようと盛り上がっても、そういう口約束が実現されることはほとんどない。それを少しずつ学んでいくのが、大人になる過程の一部なのかもしれません。でもこの小説の主人公ホールデンは、そんなことは認めません。マンガ家赤塚不二夫がどこかで話していた「酒の席の約束は守れ」という言葉を思い出します。ホールデンの訴えと共に、いつも自分に言い聞かせています。1年の終わりが近づくこの時期に。 (S)

12/20

死ぬなら楽に死ぬ。
苦しむなら癒《なお》る。
どっちかに
してもらいたい。
苦しんだ上に
死ぬなんぞは
理屈にあわぬ。

伊丹十三

『日本世間噺大系』
新潮文庫

私も病人なので、これは本当にそうだなあと、しみじみ思います。苦しみというのは、変な言い方ですが、本当に苦しいです。とても耐えられない苦しみもあるのに、それでも耐えるしかありません。せつないです。それで病気が治るのなら、耐えるかいもあります。しかし、苦しんだ上に死ぬのでは、たまりません。どうせ死ぬのなら、苦しみはなしにしてもらいたいです。そういう気持ちを見事に言葉にしてくれていて、それだけでも気持ちがすっきりします。今日は伊丹十三の命日。

（K）

12/21

愚かしさには
それなりの可愛げが
あるけれど、
無知に魅力なんか
全然ない。

フランク・ザッパ

『フランク・ザッパ自伝』

ピーター・オチオグロッソと共著／茂木健訳／河出書房新社

ロックから現代音楽まで、あらゆるジャンルにまたがりながら逸脱し続けたミュージシャン、フランク・ザッパの自伝から。アメリカの大衆文化は“無知”を讃え、教育制度は子どもが“無知”になるよう鍛える、という文脈の中で出てくる言葉です。過多な情報に晒され、偽物と本物とを自分なりに見分け続けなければならない、という現代社会を生きるためにはますます意義のある見識で、いっそ“無知”の方がラクで幸せ、と感じたとしても、それは疲れからくる錯覚にすぎない、ということなのです。ザッパの誕生日に。　(S)

12/22

眠れる人と
眠れない人の間には、
深い溝がゆるぎなく
横たわっている。
人類を分断する
巨大な境界線のひとつだ。

アイリス・マードック

『尼僧と兵士』

Penguin Books

ポーランドからの亡命一家で育った〝伯爵〟は、幼い頃からなりきろうと努力を重ねてきたイギリス人になりきれないままロンドンで孤独に生きています。毎晩、ラジオが放送を終える前に流す強風警報を聴いてからベッドに行きますが、眠りは一向に訪れません。どんな風景を思い浮かべてみても、思考だけが際限なく広がっていきます。でもそういう時、自分は人類を分ける溝のこちら側にいるだけ、と考えると、わずかばかり気が楽になるようではありませんか？ 一年で最も夜の長くなるこの時期に。 (S)

[Iris Murdoch, *Nuns and Soldiers*]

12/23

何かをなしとげたから、
生きる事に意味があるのではない。
光と影があるならば、
我々はいつも影の無惨さと共にある。
宮崎駿

『出発点〔1979～1996〕』
徳間書店

黒澤明の映画『生きる』についての文章に出てくる言葉です。あらすじにしてしまえば、無為に人生を生きていた男が、自らの死期を前にして何事かをなしとげようとする、となるわけですが、宮崎駿の心を最も深く打ったのは、冒頭部、主人公が黙々と書類を繰り、判子を押しては積み上げていくショットだったといいます。そういう日々は確かに無為だけれど、それこそが人生であり、無為だから意味がないとは言わせないと感じさせる凄みがあったのだ、と。年の瀬に、ふと立ち止まった時に。 (S)

12／24

どれほど期待された
ものであっても、
訪問は
いざとなると予想外で
ほとんど常に
歓迎されぬものとなる。

ハロルド・ピンター

『ハロルド・ピンター全集』1
喜志哲雄訳／新潮社

クリスマスイブをひとりで過ごすことにさびしさを感じている方もおられるかもしれません。でも世の中には、人に会うことを苦にする人も。作家のカフカも同じことを書いています。「予告された訪問であっても、充分に不意打ちなのだ。こうしたことに、ぼくは対応できない」。詩人のシラーも人の訪問を受けるのが嫌いで、何時に会うという約束をすると、その時間が近づくにつれて不安になり、病気になってしまうこともあったそうです。ノーベル文学賞作家ピンターは今日が命日。（K）

12/25

空《くう》の空《くう》 空《くう》の空《くう》なる哉《かな》 都《すべ》て空《くう》なり
日《ひ》の下《した》に人の勞《らう》して爲《なす》ところの
諸《もろもろ》の動作《はたらき》はその身に何の益《えき》かあらん
世は去り世は來《きた》る　地は永久《とこしなへ》に長存《たもつ》なり
日は出《い》で日は入り
またその出《いで》し處《ところ》に喘《あえ》ぎゆくなり
風は南に行《ゆ》き又轉《またまは》りて北にむかひ
旋轉《めぐり》に旋《めぐ》りて行き
風復《かぜまた》その旋轉《めぐ》る處《ところ》にかへる。

「傳導之書《でんどうのしょ》」／『文語訳舊約《きゅうやく》聖書』
日本聖書協会

聖書には、意味はそっちのけで「カッコイイなあ」と感じる言葉がいっぱいありますが、これはもちろん信者ではないからこそのことでしょう。中でも、古代イスラエル王国のソロモン王の言葉として綴られる「伝道の書」(「コヘレトの言葉」)はすばらしく、ありとあらゆることに手を染めたけれど空しかった、というこの絶望の導入部にはしびれます。こうたたみかけられれば、「神を畏れその戒めを守れ」という結論にも素直にうなずきたくなるというもの。年末のこの時期にあえて、気持ちよく朗唱できる文語訳で。　(S)

12/26

遠回りをする者もいれば、
近道を行く者もいる。
だれもが自分なりのやり方で、
どうにか運命を生き抜こうとしているのだ。
他人に出来るのは、
やさしく思いやりを持って、
しんぼう強く接すること。
それだけだ。

ヘンリー・ミラー

『南回帰線』

Penguin Classic

小説家ヘンリー・ミラーが、作家としての地位を築いた『北回帰線』と対をなす作品として、1939年に刊行した作品です。これは、熱情にうかされて挑み無惨な失敗を喫した自分の作品、そしてニューヨークで電信会社に勤めていた頃に行き会った人々について語る冒頭部分に登場する言葉。ハッとさせられるような厳しいやさしさが感じられ、“たしかに”としか言えないような気持ちになります。ついついこのことを忘れて毎日を過ごしていたことに気づくからです。ミラーの誕生日に。 (S)

[Henry Miller, *Tropic of Capricorn*
参考：『南回帰線』大久保康雄訳／新潮文庫]

12/27

危機は人びとによって作られる。（中略）
危機は直観と盲点の集積であり、
認識された事実と無視された事実との
混成物である。
しかし、危機それぞれの独自性のもとには、
おどろくべき類似性がひそんでいる。
すべての危機に共通する特質の一つは、
かえりみて充分に予測可能だという点である。

マイクル・クライトン

『アンドロメダ病原体〔新装版〕』

浅倉久志訳／早川書房

新兵器開発のために大気圏上層から微生物を回収する、という計画を実行中の人工衛星がアリゾナ州の砂漠の町に墜落し、ほぼ全住民が死に絶えます。未知の病原体のしわざでした。この一節は、危機について考察したある著作からの引用というかたちで紹介されます。危機への過程を事後検証すれば、“不可避”であるが故に“予測可能”であることがわかる、ということです。ならばやはり、ここで言われる“集積”を見逃さない視線が常日頃から欠かせないということになります。今日は国際疫病対策の日です。　(S)

12/28

自分を憐《あわ》れむという
贅沢がなければ、
人生なんていうものは
堪《た》えられない場合が
かなりあると私は思う。

ギッシング

『ヘンリ・ライクロフトの私記』

平井正穂訳／岩波文庫

遺産を得て、田園の中で幸福な晩年を過ごしたライクロフトという作家の随筆。という体裁をとっていますが、じつはライクロフトは実在せず、すべてギッシングの創作。ギッシング自身は、いつもお金に苦労し、作家としても私生活でも不遇でつらい人生を生き、病身で、出版の数カ月後の1903年12月28日に亡くなります。自分の分身の口を借りて、理想の生活を語ることで、「自分を憐れむという贅沢」を楽しみ、人生に堪えていたのでしょうか。自伝を書くよりいいかもしれません。（K）

12/29

何億という人間が
生きているが、
顔はそれよりも
たくさんにある。
だれもがいくつもの顔を
持っているからである。

リルケ

『マルテの手記』

望月市恵訳／岩波文庫

親に見せる顔、友だちに見せる顔、恋人に見せる顔、子どもに見せる顔、上司に見せる顔、同僚に見せる顔、部下に見せる顔……人はじつに多くの顔を使い分けています。そのことに無自覚な場合もあります。たとえば、別々に知り合った友だちを引き会わせると、自分がそれぞれとちがった顔でつきあっていたことに初めて気づき、2人が同時にいると、どういう顔をしていいか、わからなくなったり。顔の数は人によってちがいますが、ひとつの人はいないでしょう。今日はリルケの命日。（K）

12/30

内側では、
心と身体を再統合する
未知のプロセスがはじまる。
これはけっして
心地のよいものではない。
そのときに出来ることは
二つに一つ。

今までどおりの自分で
いようと抗うか、
変化に身をゆだねるかだ。
ある程度の時間を
サハラ砂漠で過ごしてしまったら、
けっして元の自分には
戻れないのだから。

ポール・ボウルズ

「孤独の洗礼」／『旅 1950年〜1993年』

Sort of Books

映画『シェルタリング・スカイ』の原作者として知られる小説家・音楽家であるボウルズは、1947年からこの世を去るまでモロッコのタンジェで暮らしました。ここでは、サハラ砂漠の持つ圧倒的な力について語っています。傍観者でいることを許さないほどの強烈な体験や風景、あるいは作品というものは、たしかにあります。そういう圧倒的なものを受け入れるのは怖ろしいものですが、どうせ避けられないのなら、進んで変化に身をゆだねる種類の人間でいたいと感じます。言うは易しですが。ボウルズの誕生日に。　(S)

[Paul Bowles, *Baptism of Solitude, Travels COLLECTED WRITINGS, 1950-93*]

12／31

読む前と読んでからで自分が変ってしまう。
一番肝腎なことは、ああ読んでよかった、
という思いじゃないか。
もし知らずに過したら
ひどい損をするところだった、
見落さないでよかったという、
これこそ世界を広げることだし、
そういう力を持っている作家との
出会いは大変なことです。

安部公房

「地球儀に住むガルシア・マルケス」／『安部公房全集』27
新潮社

私も「読む前と読んでからで自分が変ってしまう」という体験を、人生で何度かしています。大きなのは３回。小さいのはもっとたくさん。本なんか読まなくても生きていけますが、でも、いったんそういう体験をしたら、もはや追い求めずにはいられません。砂金採りのように大変ですが、キラリと輝く本や言葉と出会って、「ああ読んでよかった」「見落さないでよかった」と思う感動は無上のもの。本書『366日 文学の名言』で、あなたもそういう言葉と出会っていただけることを願うばかりです。 (K)

あとがき

前作『366日 映画の名言』が出来上がってまもなく、「もう一冊やりませんか?」というありがたいお誘いを、三才ブックスの神浦高志さんからいただきました。「ぜひ」と二つ返事で身を乗り出したわけですが、ようやくのことで名言を366個集め終えた記憶も新しい時期のこと、誰かと半々で事に当たればだいぶ違うかも、という怠けごころがとっさに頭をもたげました。それですぐに、頭木弘樹さんに電話をかけました。

頭木さんとは出版社に勤めていた頃に出会い、以来、いっしょにいろいろな本を作ってきました。私が独立してからは、小説作品の翻訳に携わる機会をいただくなど、仕事の幅を大きく広げてくださった大恩人です。そういう人に向かって、「(著者として)いっしょに本を」と声をかけ、しかもテーマが「文学の名言」。これはまぎれもなく、文学紹介者である頭木さんの聖域に土足で足を踏み入れる行為であって、図々しいことこの上ありません。そんな誘いかけに、それこそ二つ返事で乗ってくださった頭木さんに深く感謝しております。

前段がだいぶ長くなってしまいましたが、ここで弁明めいたことをいくつか。まずは、本書における「文学」とはなにか? ということについて。「文学の名言」の定義は、「はじめに」にあるとおりです。そして頭木さんの選ばれた「文学作品」は、まぎれもなくみなさんのイメージされる文学そのものではないでしょうか。一方で私は、おそらくそこから逸脱してみえるであろうものも多く集めました。ただし、カフカが1月1日の言葉で語っているような力を持つ作品ないし言葉であれば、すべて「文学」であるという定義からは離れていません。結果として、いわゆる純文学から、娯楽小説、エッセイ、戯曲、詩、ノンフィクション、対談集などなどにいたるまで、あらゆるジャンルや形式の作品が集まることになりました。

また出発点において、あえて偏りを持たせようとも考えました。そのため、本書に登場しない「文豪」もいれば、「名作」もあります。そもそも「文学」を前述のように定義したとはいえ、個々の言葉について話し合ったわけではなく、私たち一人一人が独自に判断していきました。結果、一冊の本として眺めてみると、この日にはこんなことを言っていたのに、別の日にはこんなことも言っているのか、という矛盾が含まれているはずです。しかし人間の内側の、特に文学によってようやく言葉で表現されるような領域は、もともと一貫するはずのないものだと考えています。その日にはそう感じていても、三週間後にはまったく逆のことを考えたというのはよくあることではないでしょうか。そういう揺れ動きも含め、いわば雑多なものをあえて取り込もうと考えたのがこの本です。

とはいえ油断していると、個人的に好きな作家の好きな作品から選び出した言葉ばかりが並んでいるということになりかねません。そこで、同じ本からはできれば二つまで、同じ作家からは四つまで、という目安を設けました（おおむね守れたはずなのですが……！）。また前作との重複を避けるために、映画のシナリオ本は含まないこととしました。

もう一つ、ブックガイドとしての機能を持たせたいとも話し合いました。できるかぎり手に入りやすいものを紹介するようにと心がけましたが、図書館にしかない本はどうしても多くなってしまいました。それから、数はあまり多くありませんが、まだ日本語に翻訳されていない本も入っています。もしくは、すでに日本語訳はあるものの、この本に引用するためには訳しなおしたほうがいいだろうと判断した作品も。そういう言葉は、私たちそれぞれが訳しています。

頭木さんという心強い味方を得たおかげもあり、家中の本棚を眺めてはこれもあれもと取り出し、あるいは記憶を頼りに図書館から一冊ずつなつかしい本を借り出し、ページを繰っていくという至福の時間をすごすことができました。しかしながら、楽しいだけで済む作業であるはずもなく、刊行時期はずれにずれていきました。そんな我々にしんぼう強くおつきあいくださった神浦さん、そしていつものように〝うつくしい本〟（ぜひ9月12日の漱石の言葉をご参照ください！）にしてくださった鈴木千佳子さんにも、心からお礼を申し上げます。

品川亮

索引　作家名

き

く

け

こ

さ

索引　書名

あ

い

う

え

索引　書名

索引　書名

て

と

な

に

わ

頭木弘樹

かしらぎ・ひろき

文学紹介者。筑波大学卒業。

20歳で難病になり、13年間の闘病生活を送る。

編訳書に『絶望名人カフカの人生論』(新潮文庫)

『絶望名人カフカ×希望名人ゲーテ 文豪の名言対決』(草思社文庫)、

『ミステリー・カット版　カラマーゾフの兄弟』(春秋社)。

著書に『食べることと出すこと』(医学書院)、

『落語を聴いてみたけど面白くなかった人へ』(ちくま文庫)、『絶望読書』(河出文庫)、

『カフカはなぜ自殺しなかったのか？』(春秋社)。アンソロジーに『絶望図書館』

『トラウマ文学館』(ちくま文庫)、『絶望書店』(河出書房新社)、

『ひきこもり図書館』(毎日新聞出版)。

ＮＨＫ「ラジオ深夜便」の『絶望名言』のコーナーに出演中。

品川亮

しながわ・りょう

1970年東京生まれ。
著書『366日 映画の名言』(三才ブックス)、
『〈帰国子女〉という日本人』(彩流社)、
共訳書『スティーグ・ラーソン最後の事件』(ハーパーＢＯＯＫＳ)
共編著『ゼロ年代＋の映画』(河出書房新社)。
アンソロジー『絶望図書館』、『トラウマ文学館』(ちくま文庫)、
『絶望書店』(河出書房新社)などでは、英米文学短編の翻訳を担当。
映像作品は『Ｈ・Ｐ・ラヴクラフトのダニッチ・ホラーその他の物語』
(監督・脚本・絵コンテ／東映アニメ)ほか。
月刊誌『STUDIO VOICE』元編集長。

366日　文学の名言

2021年12月1日　第1刷発行

定価（本体2,200円＋税）

選・文　頭木弘樹、品川 亮

装幀・装画　鈴木千佳子
ＤＴＰ　松下知弘、藤本明男
校正　東京出版サービスセンター

発行人　塩見正孝
編集人　神浦高志
販売営業　小川仙丈　中村 崇　神浦絢子
印刷・製本　図書印刷株式会社

発行　株式会社三才ブックス
〒101-0041　東京都千代田区神田須田町2-6-5 OS’85ビル3F
TEL：03-3255-7995　FAX：03-5298-3520
http://www.sansaibooks.co.jp/
mail：info@sansaibooks.co.jp